A ESSÊNCIA DO AMOR

OSHO

A ESSÊNCIA DO AMOR

Como amar com consciência e se relacionar sem medo

Tradução
Denise de C. Rocha Delela

Editora
Cultrix
SÃO PAULO

Título original: *Being in Love.*

Publicado mediante acordo com Harmony Books, uma divisão da Random House, Inc.

1ª edição 2009.

7ª reimpressão 2018.

Texto de acordo com as novas regras ortográficas da língua portuguesa.

Os textos contidos neste livro foram selecionados de vários discursos que Osho proferiu ao público. Todos os discursos foram publicados na íntegra em forma de livros, e estão disponíveis também na língua original em áudio. As gravações em áudio e os arquivos dos textos em língua original podem ser encontrados via online no site www.osho.com.

Dados Internacionais de Catalogação na Publicação (CIP)
(Câmara Brasileira do Livro, SP, Brasil)

Osho, 1931-1990.

A essência do amor : como amar com consciência e se relacionar sem medo / Osho; tradução Denise de C. Rocha Delela. -- São Paulo : Cultrix, 2009.

Título original: Being in love : how to love with awareness and relate withous fear
ISBN 978-85-316-1047-9

1. Amor - Aspectos religiosos 2. Vida espiritual - I. Título.

09-06412 CDD-299.93

Índices para catálogo sistemático:
1. Amor : Ensinamentos de Osho : Religiões de natureza universal 299.93

Direitos de tradução para a o Brasil adquiridos com exclusividade pela
EDITORA PENSAMENTO-CULTRIX LTDA., que se reserva a
propriedade literária desta tradução.
Rua Dr. Mário Vicente, 368 — 04270-000 — São Paulo, SP
Fone: (11) 2066-9000 — Fax: (11) 2066-9008
E-mail: atendimento@editoracultrix.com.br
http://www.editoracultrix.com.br
Foi feito o depósito legal.

SUMÁRIO

INTRODUÇÃO: O QUE É O AMOR?

É lamentável que tenhamos de fazer essa pergunta. Se as coisas seguissem o seu curso natural, todo mundo saberia o que é o amor. Mas, na realidade, ninguém sabe, ou quase ninguém sabe. O amor se tornou uma das mais raras experiências da vida. Sim, fala-se a respeito dele. Histórias e roteiros de cinema são escritos sobre ele, canções são compostas sobre ele, você o encontra nos programas de TV, no rádio, nas revistas – existe uma grande indústria para nos suprir de ideias sobre o que seja o amor. Muitos se dedicam à indústria de ajudar as pessoas a entender o que seja o amor. Contudo, o amor continua sendo um fenômeno desconhecido. E deveria ser um dos mais conhecidos.

É quase como se alguém perguntasse o que é comida. Você não ficaria surpreso se alguém o procurasse para fazer essa pergunta? Somente se essa pessoa nascesse esfomeada e nunca tivesse provado nenhum alimento, essa pergunta teria fundamento. O mesmo vale para a pergunta "O que é o amor?"

O amor é o alimento da alma, mas você vive com fome. A sua alma não recebe nenhum alimento, por isso você não sabe que gosto ele tem. Por isso a pergunta é relevante, embora lamentável. O corpo recebeu alimento, por isso continua vivo; mas a alma não recebeu, por isso está morta, ou não nasceu ainda, ou está sempre no leito de morte.

Quando nascemos, chegamos ao mundo com a capacidade plena de amar e ser amados. Toda criança nasce cheia de amor e sabe perfeitamente o que ele é. Não há necessidade nenhuma de dizer a uma criança o que é o amor. Mas o problema surge porque a mãe ou o pai não sabem o que é o amor. Nenhuma criança recebe os pais que merece – nenhuma criança jamais recebeu os pais que merece; esses pais simplesmente não existem na Terra. E na época em que essa criança se tornar pai ou mãe, ela também já terá perdido a sua capacidade de amar.

Eu ouvi falar de um pequeno vale onde as crianças nasciam e, em três meses, ficavam cegas. Era uma sociedade pequena e primitiva, e havia um inseto ali que causava uma infecção nos olhos e levava os bebês à cegueira, de modo que toda a comunidade era cega. Todas as crianças nasciam com visão perfeita, mas com três meses, no máximo, ficavam cegas por causa desses insetos. Ora, em algum momento posterior da vida, essas crianças devem ter perguntado "O que são olhos? O que você quer dizer quando usa a palavra 'olho'? O que é visão? O que significa ver? O que você quer dizer com isso?" E essas perguntas seriam relevantes. Essas crianças nasceram enxergando, mas perderam a visão em alguma etapa do seu crescimento.

É isso o que acontece com o amor. Todas as crianças nascem com todo o amor que podem conter, com mais amor do que podem conter; nascem transbordantes de amor. A criança nasce como amor; ela é feita dessa coisa chamada amor. Mas os pais são incapazes de dar amor. Eles têm as suas próprias dores – os pais deles nunca os amaram. Os pais só podem fingir. Eles podem falar de amor. Podem dizer "Nós te amamos muito", mas o que eles na realidade fazem é "mal-amar". A maneira como se comportam, a maneira como tratam a criança é insultuosa; não existe respeito. Nenhum pai respeita o filho. Quem já pensou em respeitar uma criança? A criança não é vista como uma pessoa. É vista como um problema. Se ela ficar quieta, é boazinha; se não gritar nem fizer nenhuma travessura, ótimo; se ficar simplesmente fora do caminho dos pais, maravilhoso. É assim que uma criança deve ser. Mas não existe respeito nem existe amor.

Os pais não sabem o que é amor. A esposa não ama o marido, o marido não ama a esposa. Não existe amor entre eles – existe dominação, possessividade, ciúme, e todos os venenos que destroem o amor. Assim como certos venenos podem destruir a nossa visão, o veneno da possessividade e do ciúme pode destruir o amor.

O amor é uma flor muito frágil. Ele tem de ser protegido, tem de ser fortalecido, tem de ser regado; só assim ele fica forte. E o amor da criança é muito frágil – naturalmente, pois a criança é frágil, o seu corpo é frágil. Você acha que uma criança abandonada à própria sorte é capaz de sobreviver? Pense em como a criança humana é indefesa – se ela é abandonada à própria sorte, não consegue sobreviver. Ela morrerá, e isso é o que está acontecendo com o amor. O amor está abandonado à própria sorte, sem ter quem cuide dele.

Os pais são incapazes de amar, não sabem o que é o amor, nunca floresceram no amor. Basta pensar nos seus próprios pais – e lembre-se, não estou dizendo que eles sejam responsáveis. Eles são vítimas assim como você; os pais deles também eram. E assim por diante... você pode retroceder até Adão e Eva e Deus Pai! Parece que nem o Deus Pai era muito respeitoso com Adão e Eva. É por isso que, desde o começo, ele mandava neles, "Faça isto", "Não faça aquilo". Ele começou fazendo as mesmas bobagens que todos os pais fazem. "Não coma o fruto desta árvore." E quando Adão comeu o fruto, Deus ficou tão furioso que expulsou Adão e Eva do paraíso.

Essa expulsão é sempre uma possibilidade, e todo pai ameaça expulsar o filho, mandá-lo embora. "Se não me ouvir, se não se comportar bem, você vai embora." É claro que o filho fica com medo. Ir embora? Para os rigores da vida lá fora? Ele começa a fazer concessões. A criança pouco a pouco é corrompida, e começa a manipular. Ela não quer sorrir, mas se a mãe está por perto e ela quer mamar, ela sorri. Agora isso é política – o início, o ABC da política.

Lá no fundo, a criança começa a odiar os pais, porque ela não é respeitada; lá no fundo, começa a ficar frustrada porque não é amada como ela é. Esperam que ela faça certas coisas, e só então será amada. O amor tem condições; ela não é valorizada pelo que é. Primeiro tem que se tornar merecedora, só então recebe o amor dos pais. Então, para se tornar "merecedora", a criança começa a ser falsa; perde toda noção do seu valor intrínseco. Perde o respeito por si mesma e, pouco a pouco, começa a se sentir culpada.

Muitas vezes ocorre à criança, "Será que eles são meus pais de verdade? Será que não me adotaram? Talvez estejam mentindo para mim, pois não parecem me amar". E milhares de vezes ela vê raiva nos olhos dos pais, esgares de raiva no rosto deles, e por coisas tão pequenas que ela não consegue entender a proporção da raiva causada por essas pequenas coisas. Por coisas tão pequenas ela vê a fúria dos pais – não consegue acreditar em tamanha injustiça! Mas ela tem de ceder, tem de se curvar, tem de aceitá-la por necessidade. Aos poucos, a sua capacidade de amar é exterminada.

O amor só cresce em meio ao amor. O amor precisa de um ambiente de amor – essa é a coisa mais fundamental para se lembrar. Só num ambiente de amor o amor cresce; ele precisa à sua volta do mesmo tipo de pulsação. Se a mãe é amorosa, se o pai é amoroso – não só com a criança, se eles são amorosos um com o outro também, se a casa tem uma atmosfera onde flua o amor –, a criança começará a agir como um ser de amor, e nunca perguntará "O que é o amor?" Ela saberá, desde o comecinho; o amor se tornará a sua base.

Contudo, isso não acontece. É lamentável, mas não tem acontecido até os dias de hoje. E as crianças aprendem a ser como os pais – aprendem as suas queixas, os seus conflitos. Basta que você continue se observando. Se é uma mulher, observe – você pode estar repetindo, de modo quase idêntico, o modo como a sua mãe costumava se comportar. Observe-se quando estiver com o seu namorado ou marido: o que está fazendo? Não está repetindo um padrão? Se é um homem, observe: o que está fazendo? Não está se comportando igualzinho ao seu pai? Não está fazendo as mesmas bobagens que ele costumava fazer? Antigamente você ficava surpreso – "Como o meu pai pode fazer uma coisa dessas?" – e agora você está fazendo igual. As pessoas vivem se repetindo, vivem imitando uma à outra. O ser humano é um macaco. Você está repetindo o que o seu pai ou a sua mãe fazia, e isso tem de acabar. Só então você saberá o que é o amor, do contrário continuará corrompido.

Eu não posso definir o que é o amor porque ele não tem definição. É uma daquelas coisas indefiníveis como nascimento, morte, Deus, meditação. É uma daquelas coisas indefiníveis – eu não posso defini-lo. Não posso dizer "isto é o amor", não posso mostrá-lo a você. Ele não é um fenômeno visível. Não pode ser dissecado, não pode ser analisado; só pode ser vivenciado, e só por meio da experiência você realmente sabe o que ele é. Mas eu posso lhe mostrar como vivenciá-lo.

O primeiro passo é livrar-se dos seus pais. E não estou querendo dizer com isso que você desrespeite os seus pais, claro que não. Eu seria a última pessoa a dizer isso. Não quero dizer que você deva se livrar dos seus pais físicos; quero dizer que você precisa se livrar das vozes interiores dos seus pais, do seu programa interno, das fitas cassete que tocam dentro de você. Elimine-os... e você vai ficar simplesmente surpreso ao descobrir que, ao eliminar os seus pais do seu ser interior, você ficará livre. Pela primeira vez você conseguirá sentir compaixão pelos seus pais, do contrário não conseguirá; você vai continuar ressentido.

Todas as pessoas sentem ressentimento pelos pais. Como você pode não ter ressentimento se eles lhe fizeram tanto mal? E eles não fizeram isso de propósito – só queriam o seu bem, queriam fazer tudo pelo seu bem-estar. Mas o que eles podiam fazer? Não é porque você quer uma coisa que ela acontece. Desejar o melhor não basta. Eles desejavam o melhor para você, isso é verdade; disso não há dúvida; todos os pais querem que o filho só tenha alegrias na vida. Mas o que podem fazer? Eles próprios nunca tiveram nenhuma alegria. Eles são robôs, e conscientemente ou não, intencionalmente ou não, criaram uma atmosfera em que os filhos cedo ou tarde se tornariam robôs também.

Se você quer se tornar um ser humano e não uma máquina, livre-se dos seus pais. E você precisará ter muita cautela. Trata-se de um trabalho árduo, muito árduo; você não consegue fazê-lo num estalar de dedos. Terá de ter muito cuidado com o seu comportamento. Observe e veja quando a sua mãe entra em cena, e começa a agir por seu intermédio – assim que perceber, afaste-se desse comportamento. Faça algo absolutamente novo, que a sua mãe nem poderia imaginar. Por exemplo, o seu namorado está olhando para outra mulher com um brilho de admiração nos olhos. Agora observe o que você está fazendo. Está fazendo o mesmo que a sua mãe fazia quando o seu pai olhava com admiração para outra mulher? Se está, você nunca saberá o que é o amor; vai simplesmente repetir a mesma história. Será a mesma cena representada por outros atores, mais nada; o mesmo ato desgastado sendo repetido várias e várias vezes. Não seja uma imitação, saia disso. Faça algo novo. Faça algo que a sua mãe nem sequer poderia conceber. Faça algo que o seu pai nem sequer poderia conceber. Essa novidade tem que brotar do seu ser, só então o amor começará a fluir.

O primeiro princípio básico, portanto, é livrar-se dos seus pais.

O segundo é o seguinte: as pessoas acham que só podem amar quando encontram um parceiro digno delas – bobagem! Você nunca encontrará um. As pessoas acham que só amarão quando encontrarem o homem perfeito ou a mulher perfeita. Balela! Você nunca os encontrará, porque a mulher ou o homem perfeito não existem. E se existirem, não se importarão com o seu amor. Não estarão interessados.

Ouvi falar de um homem que continuou solteiro a vida toda porque estava em busca de uma mulher perfeita. Quando estava com 70 anos, alguém lhe perguntou, "Você viajou tanto – foi de Nova York a Katmandu, de Katmandu para Roma, de Roma para Londres, sempre nessa busca. Não conseguiu encontrar uma mulher perfeita? Nem mesmo uma?"

O velho aparentou uma grande tristeza. "Sim, uma vez encontrei. Muito tempo atrás, conheci uma mulher perfeita."

O outro indagou, "Então o que aconteceu? Por que não se casaram?"

Pesaroso, o velho respondeu, "Adivinhe. Ela estava em busca do homem perfeito!"

E, lembre-se, quando dois seres são perfeitos, a necessidade que têm de amor não é igual à sua necessidade. É algo totalmente diferente.

Você não compreende nem mesmo o amor que é possível para você, como será capaz de compreender o amor que envolve alguém como Buda, ou o amor que flui de alguém como Lao-Tsé para você – você não é capaz de compreender.

Primeiro você tem que entender o amor que é um fenômeno natural. Nem mesmo esse aconteceu ainda. Primeiro você tem que entender o natural e só então o transcendental. Portanto, a segunda coisa a lembrar é:

nunca saia em busca do homem perfeito ou da mulher perfeita. Essa ideia também foi incutida na sua mente – de que a menos que encontre o homem perfeito ou a mulher perfeita, você nunca será feliz. Então você continua em busca do perfeito, e não o encontra, portanto vive infeliz.

Não é preciso perfeição para fluir e crescer no amor. O amor não tem nada a ver com o outro. Uma pessoa amorosa simplesmente ama, assim como uma pessoa viva respira, come, bebe e dorme. Exatamente desse modo, uma pessoa realmente viva, uma pessoa amorosa, ama. Você não diz, "A menos que o ar esteja perfeitamente puro e despoluído, não vou respirar". Você continua respirando mesmo que more em Los Angeles; você continua respirando mesmo que more em Mumbai. Continua respirando aonde quer que vá, mesmo com o ar poluído, envenenado. Continua respirando! Você não pode parar de respirar só porque o ar não está nas condições ideais. Se está com fome, você come alguma coisa, seja o que for. No deserto, se está morrendo de sede, você bebe qualquer coisa. Não insistirá para que lhe tragam coca-cola, qualquer coisa servirá – qualquer bebida, água, até água suja. Já se soube de pessoas que beberam até a própria urina. Quando você está morrendo de sede, não importa o que é; você bebe qualquer coisa para matar a sede. Pessoas matam camelos no deserto para beber água – porque os camelos têm água dentro deles. Porém, isso é perigoso, porque depois a pessoa terá de andar por quilômetros. Mas ela está com tanta sede que pensa primeiro no mais importante – primeiro na água, do contrário morrerá. Sem água, mesmo que o camelo estivesse ali, o que ela iria fazer? O camelo teria que levar um cadáver para a cidade mais próxima, pois sem água você morreria.

Uma pessoa viva e amorosa simplesmente ama. O amor é uma função natural.

Então, a segunda coisa a lembrar é: não espere perfeição; do contrário amor nenhum fluirá de você. Do contrário, você será "*des*amoroso". Aqueles que exigem perfeição são pessoas muito "desamorosas", neuróticas. Mesmo que consigam encontrar um companheiro, elas exigem perfeição, e o amor é destruído por causa dessa exigência.

Assim que um homem passa a amar uma mulher ou uma mulher passa a amar um homem, começa a exigência. A mulher começa a exigir que o homem seja perfeito, só porque ele a ama. Como se ele tivesse cometido um pecado! Agora ele tem que ser perfeito, tem que se livrar de todas as suas limitações – de repente, só por causa dessa mulher? Agora ele não pode mais ser humano? Ou ele tem que se tornar sobre-humano ou tem que se tornar um impostor, alguém falso, trapaceiro.

Naturalmente, tornar-se sobre-humano é muito difícil, então as pessoas se tornam trapaceiras. Elas começam a fingir, representar e fazer joguinhos. Em nome do amor, as pessoas estão apenas fazendo joguinhos. Por isso a segunda coisa a se lembrar é nunca exigir perfeição. Você não tem o direito de exigir nada de ninguém. Se alguém ama você, seja grato, mas não exija nada – porque o outro não tem obrigação de amá-lo. Se uma pessoa ama, trata-se de um milagre. Emocione-se com o milagre.

Mas as pessoas não se emocionam. Por causa de pequeninas coisas, elas acabam com todas as possibilidades de amor. Elas não estão muito interessadas em amor e na alegria que ele traz. Estão mais interessadas em outras viagens do ego.

Preocupe-se com a sua alegria. Preocupe-se totalmente com a sua alegria, preocupe-se *apenas* com a sua alegria. Todo o resto é secundário. Ame – como uma função natural, tal como respirar. E quando amar uma pessoa, não comece a fazer exigências; do contrário desde o início vai começar a fechar as portas. Não tenha nenhuma expectativa. Se algo cruzar o seu caminho, sinta-se grato. Se nada acontecer, não é preciso que aconteça, não há necessidade nenhuma que aconteça. Você não pode ter expectativas.

Mas observe as pessoas, veja como elas não dão nenhum valor umas às outras. Se a sua esposa lhe prepara o jantar, você não agradece. Não estou dizendo que você tenha de verbalizar o seu agradecimento, mas ele tem que estar nos seus olhos. Mas você não se incomoda com isso, não dá a menor importância – é a obrigação dela. Quem disse?

Se o seu marido vai trabalhar para ganhar dinheiro, você nunca agradece. Não sente a menor gratidão. "É isso mesmo que um homem tem de fazer." Isso é o que você pensa. Como o amor pode crescer? Ele precisa de um clima de amor, precisa de um clima de gratidão. Precisa de uma atmosfera em que não haja exigências, não haja expectativas. Essa é a segunda coisa a lembrar.

E a terceira é: em vez de pensar em como receber amor, comece a amar. Se você dá, você recebe. Não existe outra maneira. As pessoas estão mais interessadas em receber, em se apoderar. Todo mundo está interessado em receber e ninguém parece gostar de dar. As pessoas só dão alguma coisa com muita relutância – se dão, é só porque querem receber algo em troca; é quase um negócio, um comércio. Elas estão sempre querendo ter certeza de que vão receber mais do que dão – aí será um bom negócio, vai valer a pena. E a outra pessoa está fazendo a mesma coisa.

O amor não é um comércio, portanto pare de agir como um comerciante. Do contrário você não aproveitará a vida, o amor e todas as coisas belas que ela tem – porque nada que é belo é um comércio. O comércio é a pior coisa do mundo – um mal necessário, mas a existência não sabe nada sobre comércio. As árvores florescem, não é um comércio; as estrelas brilham, não é um comércio e você não tem que pagar por isso nem ninguém exige nada de você. Um pássaro vem, pousa na sua porta e começa a cantar, e o pássaro não lhe pede um certificado ou algum sinal de que você está gostando. Ele canta e depois sai voando alegremente, sem deixar rastro.

É assim que o amor cresce. Dar, e não esperar para ver quanto pode receber em troca. Sim, você recebe, e recebe multiplicadamente, mas isso é algo natural. Vem por conta própria, não é preciso que você exija. Se exigir, não vem. Quando exige, você mata o amor. Portanto, dê. Comece a dar.

No início, será difícil, porque a vida toda você treinou não para dar, mas para receber. No início, você terá que lutar com a sua própria armadura. A sua musculatura se tornou rija, o seu coração se tornou uma pedra de gelo, você se tornou uma pessoa fria. No início, será difícil, mas cada passo o levará mais longe e, pouco a pouco, o rio começará a fluir.

Primeiro livre-se dos seus pais. Livrando-se dos seus pais, você se livrará da sociedade; livrando-se dos seus pais, você se livrará da civilização, da educação, de tudo – porque os seus pais representam tudo isso. Você se torna um indivíduo. Pela primeira vez na vida, você não fará mais parte da massa, você terá uma individualidade autêntica. Você estará por conta própria. Isso é que é crescimento. É assim que uma pessoa adulta deve ser.

A pessoa adulta é aquela que não precisa dos pais. A pessoa adulta é aquela que não precisa se agarrar nem se apoiar em ninguém. A pessoa adulta é aquela que vive feliz na sua solidão – a sua solidão é uma canção, uma celebração. A pessoa adulta é aquela que vive feliz em sua própria companhia. A sua solidão não é propriamente solidão; é solitude, é meditativa.

Um dia você teve que sair do útero da sua mãe. Se tivesse ficado lá por mais de nove meses, teria morrido – e não só você, mas ela também. Um dia você teve que sair do útero materno; então um dia teve que sair também do seu ambiente familiar, outro útero, e ir à escola. Então um dia teve de sair da atmosfera escolar, outro útero, e entrar num mundo maior. Mas lá no fundo você continua sendo uma criança. Você ainda está no útero! São camadas e camadas de útero e esse útero precisa ser rompido.

Isso é o que, no Ocidente, vocês chamam de segundo nascimento. Quando você passa pelo segundo nascimento, fica completamente livre das impressões dos pais. E a beleza disso é que só então a pessoa sente gratidão pelos pais. Ela sente compaixão e amor por eles, lamenta por eles, porque também sofreram do mesmo jeito. Ela não fica com raiva e faz tudo para ajudar os pais a conquistar a plenitude da solidão, o ápice desse sentimento.

Tornar-se indivíduo, isso é a primeira coisa. A segunda é: não espere perfeição e não peça nada, não exija nada. Ame as pessoas comuns. Não há nada de errado com as pessoas comuns. As pessoas comuns são extraordinárias! Todo ser humano é único e exclusivo; tenha respeito por essa originalidade.

Terceiro, dê, e dê sem condições – então você saberá o que é amor. Eu não posso defini-lo. Só posso lhe mostrar o caminho que leva ao seu crescimento. Posso lhe mostrar como fazer com que ele se torne uma roseira, como regá-lo, como fertilizá-lo, como protegê-lo. Então um dia, a partir do nada, surge a rosa, e a sua casa fica toda perfumada. É assim que o amor acontece.

PARTE I

A jornada do "eu" para o "nós"

Compreenda a natureza do amor e como nutri-lo

O amor não pode ser aprendido, não pode ser cultivado. O amor cultivado não será amor coisa nenhuma. Não será uma rosa de verdade, será uma flor de plástico. Se você aprende alguma coisa, isso significa que ela veio de fora; não é um crescimento interior. E o amor tem que crescer interiormente para ser autêntico e verdadeiro.

O amor não é um aprendizado, mas um crescimento. O que você precisa fazer não é aprender maneiras de amar, mas desaprender maneiras de "desamar". Os obstáculos precisam ser removidos, as pedras têm que ser retiradas do caminho, para que ele possa fluir. Ele já existe – escondido atrás de muitas pedras, mas a sua nascente já existe. Ele é o seu próprio ser.

ALÉM DA DEPENDÊNCIA E DA DOMINAÇÃO

Rompendo a crosta do ego

Eu sempre me surpreendo com a quantidade de pessoas que me procuram e dizem que têm medo do amor. Por que medo do amor? Porque, quando você realmente ama alguém, o seu ego começa a se desvanecer, a derreter. Você não pode amar com o ego; o ego se torna uma barreira e, quando você quer tirar a barreira entre você e o outro, o ego diz, "Isso vai ser a morte, cuidado!"

A morte do ego não é a sua morte; a morte do ego é, na verdade, a sua possibilidade de vida. O ego é apenas uma crosta sem vida em volta de você, ela tem de ser quebrada e abandonada. Ela se desenvolve naturalmente – como o viajante que acumula poeira nas roupas, no corpo, e tem que tomar banho para se livrar da sujeira. Com o tempo, a poeira das nossas experiências, do nosso conhecimento, da vida que vivemos, do passado, vai se acumulando. Essa poeira se torna o ego. Ela se acumula e se torna uma crosta em torno de você, e tem que ser quebrada e abandonada. É preciso tomar banho todos os dias, na verdade a todo momento, para que essa crosta não se torne uma prisão.

É muito útil entender de onde vem o ego, entender as raízes.

A criança nasce e é totalmente indefesa, principalmente a criança humana. Não podemos sobreviver sem a ajuda de outras pessoas. A maioria dos filhotes de animais, as árvores, os pássaros conseguem sobreviver sem os pais, sem uma sociedade, sem uma família. Mesmo que às vezes precise de ajuda, é muito pouco – alguns dias, no máximo alguns meses. Mas a criança humana é tão indefesa que passa anos dependendo de outras pessoas. É aí que é preciso buscar as raízes.

Por que esse desamparo deu origem ao ego humano? A criança é indefesa, ela depende dos outros, mas a mente ignorante da criança interpreta essa dependência como se o mundo girasse em torno dela. A criança pensa, "Sempre que eu choro, a minha mãe vem correndo; sempre que tenho fome, basta eu dar um sinal para que me ofereçam o peito. Sempre que estou molhado, choro um pouquinho e alguém troca as minhas fraldas". A criança vive como um imperador. Na verdade, ela é absolutamente indefesa e dependente, e a mãe e o pai, a família e aqueles que cuidam da criança estão, todos eles, ajudando-a a sobreviver. Eles não dependem da criança, a criança é que depende deles. Mas a criança interpreta isso como se o mundo girasse em torno dela, como se o mundo inteiro só existisse por causa dela.

E o mundo da criança, obviamente, é muito pequeno no início. Ele consiste na mãe, a pessoa que cuida dela, no pai, que está ali por perto – nisso se resume o mundo da criança. Essas pessoas a amam. E a criança se torna cada vez mais egoísta. Ela se considera o centro de toda a existência, e dessa maneira o ego é criado. Por meio da dependência e do desamparo, o ego é criado.

Na verdade, a situação real da criança é justamente o contrário do que ela pensa; não existe uma justificativa real para que esse ego seja criado. Mas a criança é absolutamente ignorante, não é capaz de entender a complexidade da coisa. Ela não sabe que é indefesa, acha que é um ditador! E, então, pelo resto da vida, ela continuará tentando ser um ditador. Ela se tornará um Napoleão, um Alexandre, um Adolf Hitler – os seus presidentes, primeiros-ministros, ditadores, são todos infantis. Eles estão tentando conseguir a mesma coisa que viveram na infância; querem ser o centro de toda a existência. Com eles, o mundo tem que viver e morrer; o mundo inteiro é a sua periferia e eles são o centro do mundo; o próprio significado da vida está encerrado dentro deles.

A criança, é claro, naturalmente acha essa interpretação correta, pois, quando a mãe olha para ela, nos seus olhos ela vê que é ela quem dá sentido para a vida da mãe. Quando o pai chega em casa, a criança percebe que é ela quem dá sentido para a vida do pai. Isso dura uns três ou quatro anos – e os primeiros anos da infância são os mais importantes; nunca mais haverá um tempo, na vida da pessoa, com o mesmo potencial.

Os psicólogos dizem que, depois dos primeiros quatro anos, a criança está quase completa. Todos os padrões já estão fixados; pelo resto da vida ela repetirá os mesmos padrões em diferentes situações. E ali pelo sétimo ano, a criança já tem todas as atitudes confirmadas, o seu ego já está estabelecido. Agora ela sai para o mundo – e daí em diante em todos os lugares encontrará problemas, milhões de problemas! Depois que ela sai do círculo familiar, os problemas começam a surgir – porque ninguém se importa com você como a sua mãe se importava; ninguém está tão preocupado com você como o seu pai estava. Pelo contrário, aonde quer que vá você só encontra indiferença, e o ego fica ferido.

Mas agora o padrão já está estabelecido. Ferida ou não, a criança não pode mudar o padrão – ela se tornou a própria cópia do seu ser. Brincará com as outras crianças e tentará dominá-las. Irá à escola e tentará dominar, ser a primeira da classe, ser a aluna mais importante. Talvez ela acreditasse que era superior, mas vai descobrir que todos os alunos acreditam na mesma coisa. Existem conflitos, existem egos, existe briga, discussões.

E essa se torna toda a história da vida: existem milhões de egos em torno de você, assim como você, e todo mundo está tentando controlar, manipular, dominar – por meio do dinheiro, do poder, da política, do conhecimento, da força, das mentiras, das pretensões, da hipocrisia. Até mesmo na religião e na moralidade, todo mundo está tentando dominar, mostrar ao resto do mundo que "Eu sou o centro do mundo".

Essa é a raiz de todos os problemas entre as pessoas. Por causa desse conceito, você está sempre em conflito e lutando com uma pessoa ou outra. Não que os outros sejam inimigos seus – todo mundo é como você, está no mesmo barco. A situação é a mesma para todo mundo; eles foram criados do mesmo modo.

Existe uma certa escola de psicanálise ocidental segundo a qual, a menos que as crianças sejam criadas longe do pai e da mãe, nunca haverá paz no mundo. Eu não concordo com eles, pois sem os pais as crianças não serão criadas de maneira alguma! Esses psicólogos têm uma certa razão, mas trata-se de uma ideia muito perigosa. Porque, se as crianças forem criadas em creches, longe do pai e da mãe, sem nenhum amor, com total indiferença, elas podem não ter os problemas do ego, mas terão outros, até mais prejudiciais e perigosos.

Se a criança for criada com total indiferença, ela não terá centro. Ela será uma confusão, será desajeitada, não saberá quem ela é. Não terá nenhuma identidade. Com medo, apavorada, ela não será capaz de dar nem mesmo um passo sem morrer de medo, porque ninguém a amou. É claro que não haverá ego nenhum, mas sem ego ela não terá centro. Ela não se tornará um buda; será apenas alguém embotado e incapacitado, que sente medo o tempo todo.

É preciso amor para que você sinta destemor, para que se sinta aceito, alguém que não é imprestável, que pode ser jogado no lixo. Se as crianças forem criadas numa situação em que não haja amor, elas não terão ego, isso é verdade. A vida delas não terá tantas disputas e combates. Mas elas não serão absolutamente capazes de se defender. Estão sempre fugindo, correndo de todo mundo, escondida nas cavernas do seu próprio ser. Elas não serão budas, não irradiarão vitalidade, não viverão centradas, à vontade, em casa. Serão simplesmente excêntricas, fora do centro. Também não será nada bom.

Portanto, eu não concordo com esses psicólogos. A proposta deles criaria robôs, não seres humanos – e os robôs, é claro, não têm problemas. Ou ela pode dar origem a seres humanos que sejam mais parecidos com animais. Haverá menos preocupação, menos úlceras, menos câncer, mas nada disso vale a pena se significa que você não pode chegar ao ponto mais elevado da consciência. Em vez disso, você estará numa queda livre; estará regredindo. É evidente que, se você se tornar um animal, haverá menos angústia, porque haverá menos consciência. E, se você se tornar uma pedra, uma rocha, não haverá preocupação nenhuma, porque não haverá ninguém ali dentro para sentir preocupação, para sentir angústia. Mas não vale a pena. A pessoa tem que ser como um deus, não como uma rocha. E com isso quero dizer absoluta consciência e mesmo assim nenhuma preocupação. Nenhuma ansiedade, nenhum problema; viver a vida como um pássaro, celebrar a vida como um pássaro, cantar como um pássaro – não regredindo, mas avançando até um nível ótimo de consciência.

A criança forma o ego – é natural, nada pode ser feito com relação a isso. É preciso aceitar. Mas, posteriormente, não há necessidade de se continuar com ele. Esse ego é necessário no início, para que a criança se sinta aceita, amada, bem-vinda – sinta que ela é um convidado de honra, não um acidente. O pai, a mãe e o calor humano em torno da criança a ajudam a crescer forte, enraizada, ancorada. É necessário, o ego lhe dá proteção – é bom, é assim como a casca de uma semente. Mas a casca não deve se tornar definitiva, do contrário a semente morrerá. A proteção pode durar por tempo demais e se tornar uma prisão. A proteção precisa continuar sendo uma proteção enquanto for necessária e, quando chega o momento de a casca dura da semente cair por terra, ela precisa morrer naturalmente para que a semente possa brotar e a vida nascer.

O ego é só uma casca protetora – a criança precisa dela porque é indefesa. Precisa dela porque é fraca; porque é vulnerável e existem milhões de forças em torno dela. Ela precisa de proteção, de uma casa, de uma base. O mundo todo pode ser indiferente, mas ela sempre pode se voltar para o seu lar, e ali pode adquirir importância.

Mas com a importância vem o ego. A criança fica egoísta, e com o ego surgem todos os problemas que você enfrenta. Esse ego não deixará que você se apaixone. Esse ego gostaria que todas as pessoas se rendessem a ele; ele não vai deixar que você se renda a ninguém – e o amor só acontece quando *você* se rende. Quando você força outra pessoa a se render, isso é detestável, destrutivo. Não é amor. E se não existe amor, a sua vida não terá afeto, não terá poesia. Ela pode ser prosa, matemática, lógica, racional. Mas como viver sem poesia?

Não há nada de errado com a prosa, racionalmente tudo bem, ela é útil, necessária – mas viver apenas por meio da razão e da lógica pode nunca ser uma celebração, pode nunca ser festiva. E quando a vida não é festiva, ela é chata. A poesia é necessária – mas pela poesia você tem que se render. Precisa descartar o ego. Se fizer isso, se colocá-lo de lado por alguns instantes, a sua vida terá vislumbres da beleza, do divino.

Sem poesia você não consegue viver de verdade, você só pode existir. O amor é poesia. E, se o amor não é possível, como você pode ser reverente, meditativo, consciente? É quase impossível. E sem uma consciência meditativa, você será apenas um corpo; nunca ficará consciente da sua alma mais profunda. Somente na devoção, na meditação profunda e no silêncio você chega ao ápice. Esse silêncio reverente, essa consciência meditativa, está no ápice da experiência – mas o amor abre a porta.

Carl Gustav Jung, depois de passar a vida toda estudando milhares de pessoas – milhares de casos de pessoas doentes, psicologicamente mutiladas, psicologicamente confusas –, afirmou que nunca tinha conhecido uma pessoa doente cujo problema real, depois dos 40 anos, não fosse espiritual. Existe um ritmo na vida, e na casa dos 40 anos surge uma nova dimensão, a dimensão espiritual. Se você não lidar com ela direito, se não souber o que fazer, ficará doente, inquieto. Todo o crescimento humano é uma continuidade. Se você queima uma etapa, ele fica descontínuo. A criança forma o ego – e se ela nunca aprender a deixar esse ego de lado, não conseguirá amar, não conseguirá ficar à vontade na companhia de ninguém. O ego viverá guerreando. Você pode se sentar em silêncio, mas o seu ego está constantemente brigando, procurando maneiras de dominar, de ser ditatorial, de ser o governador do mundo.

Isso só cria problemas em todo lugar. Na amizade, no sexo, no amor, na sociedade – em todo lugar, você está em conflito. Haverá conflito até mesmo com os pais que lhe deram esse ego. É raro que um filho perdoe o pai, é raro que uma mulher perdoe a mãe. Isso acontece muito raramente.

George Gurdjieff tinha uma frase na parede da sala onde ele costumava receber as pessoas. A frase era assim: "Se você ainda não fez as pazes com o seu pai e a sua mãe, vá embora. Não posso fazer nada por você". Por quê? Porque o problema foi criado ali e tem de ser resolvido ali. É por isso que todas as tradições o aconselham a amar os seus pais, a respeitar os seus pais tanto quanto possível – porque o ego vem dali, essa é a base. Solucione-o, caso contrário isso vai assombrar você em todo lugar.

Os psicanalistas também chegaram à conclusão de que tudo o que fazem é levar o paciente de volta aos problemas que existiam entre ele e os pais e tentar resolvê-los de alguma maneira. Se você conseguir resolver o seu conflito com os seus pais, muitos outros conflitos simplesmente desaparecerão, porque eles se baseiam no mesmo conflito básico.

Por exemplo, um homem que não se dá bem com o pai não consegue se dar bem com o chefe no escritório – nunca, porque o chefe é uma figura paterna. Esse pequeno conflito com os pais continua a se refletir em todos os seus relacionamentos. Se você não se dá bem com a sua mãe, também não se dá bem com a sua esposa, porque ela representa as mulheres; você não consegue se sentir bem com as mulheres em geral, porque a sua mãe é a primeira mulher da sua vida, é o seu primeiro modelo de mulher. Onde quer que haja uma mulher, a sua mãe está, e um relacionamento sutil continua.

O ego nasce no relacionamento com o pai e a mãe, e é ali que é preciso enfrentá-lo. Do contrário, você continuará cortando os galhos e as folhas da árvore, e a raiz continuará intacta. Se chegou a um acordo com o seu pai e a sua mãe, você amadureceu. Não existe mais ego. Você compreende que era indefeso, que dependia dos outros, que não era o centro do mundo. Na realidade, você era completamente dependente; não teria sobrevivido de outro modo. Se você entende isso, o ego pouco a pouco se desvanece; e, quando não está mais em conflito com a vida, você se torna solto e natural, você relaxa. Fica leve como o ar. O mundo não parece mais cheio de inimigos, ele é uma família, uma unidade orgânica. O mundo não está mais contra você, você pode flutuar com ele. Ao descobrir que o ego é uma bobagem, ao descobrir que o ego não tem base existencial, ao descobrir que o ego é só um sonho pueril, uma ideia equivocada nascida da ignorância, a pessoa simplesmente deixa de ter ego.

Existem pessoas que me procuram para perguntar, "Como eu me apaixono? Existe um jeito?" Como se apaixonar? Elas querem saber um jeito, um método, uma certa técnica.

Elas não entendem o que estão perguntando. Apaixonar-se significa que agora não há mais jeito, não há uma técnica, não há um método. É por isso que se fala em "cair de amores" – você não está mais controlando nada, você simplesmente cai. É por isso que as pessoas de muito raciocínio dizem que o amor é cego. O amor é o único olho, a única visão – mas elas dirão que o amor é cego, e se você estiver apaixonado dirão que você ficou louco. O amor parece loucura para a pessoa movida pela cabeça, porque a mente é uma grande manipuladora. Qualquer situação em que se perde o controle parece perigosa para a mente.

Mas existe o mundo do coração humano, existe o mundo do ser humano e da consciência, onde nenhuma técnica é possível. Todas as tecnologias são possíveis com a matéria; com a consciência nenhuma tecnologia é possível e, na verdade, nenhum controle é possível. O próprio esforço para controlar ou para fazer com que as coisas aconteçam é egoísta.

AS ETAPAS NATURAIS DA VIDA E DO AMAR

As pessoas me perguntam qual é o jeito certo de promover uma atmosfera afetuosa que propicie o crescimento da criança, sem interferir na potencialidade natural dela.

Todas as maneiras de ajudar uma criança estão erradas. A própria ideia de ajudar não está certa. A criança precisa do seu amor, não da sua ajuda. A criança precisa do seu afeto, do seu amparo, mas não precisa da sua ajuda. O potencial natural da criança é desconhecido, por isso não existe um jeito de ajudá-la a atingir esse potencial. Você não pode ajudar quando o objetivo é desconhecido; tudo o que pode fazer é não interferir. E, na verdade, em nome da "ajuda" todo mundo interfere na vida de todo mundo; e porque o nome é bonito, ninguém faz objeção. É claro que a criança é muito pequena, completamente dependente de você, não pode contestar.

Todas as pessoas à sua volta são iguaizinhas a você: também receberam a ajuda dos pais, assim como você. Elas não atingiram o potencial natural que tinham, do mesmo modo que você também não atingiu o seu. O mundo todo está se perdendo malgrado toda ajuda dos pais, da família, dos parentes, dos vizinhos, dos professores, dos padres. Na verdade, todo mundo está tão sobrecarregado de ajuda que a pessoa não consegue atingir nem o seu potencial antinatural, que dirá o natural! Ninguém consegue se mexer; o peso sobre os ombros de cada pessoa é maior do que o do Himalaia!

Todas as pessoas à sua volta foram ajudadas, muito ajudadas para ser o que são. Você foi ajudado; agora quer ajudar os seus filhos também? Tudo o que pode fazer é ser amoroso, afetuoso. Seja caloroso, tolerante. A criança traz um potencial desconhecido, e não há meios de adivinhar o que ela vai ser. Portanto, não há como sugerir, "Você deve ajudar o seu filho deste jeito". Cada criança é única, por isso não pode haver uma disciplina geral para todas.

O jeito certo é não ajudar a criança de maneira alguma. Se você é de fato corajoso, então não ajude o seu filho. Ame-o, incentive-o. Deixe-o fazer o que quer fazer. Deixe-o ir aonde quer ir. A sua mente viverá instigando-o a interferir, e com uma boa desculpa. A mente é muito esperta quando se trata de racionalizar: "Se você não interferir pode ser perigoso; a criança pode acabar num buraco, se você não a detiver". Mas eu lhe digo que é melhor deixá-la cair no buraco do que ajudá-la e destruí-la.

A possibilidade de que ela acabe num buraco é muito pequena – e mesmo que isso aconteça, isso não significa a morte; ela pode ser tirada de lá. Se você está realmente preocupado, então pode cobrir o buraco; mas não a ajude, não interfira. O buraco pode ser cercado, mas não interfira com a criança. A sua verdadeira preocupação deve ser eliminar todos os perigos, mas não interfira com a criança; deixe-a seguir o seu caminho.

Você terá que entender alguns padrões de crescimento importantes. A vida tem ciclos de sete anos, ela avança em ciclos de sete anos, como a Terra perfaz um giro em torno do seu eixo num período de 24 horas. Ora, ninguém sabe por que não são 25 horas, por que não são 23. Não existe resposta para isso; é simplesmente um fato. Portanto, não me pergunte por que a vida avança em ciclos de sete anos. Eu não sei. Isso é tudo o que eu sei, que ela avança em ciclos de sete anos, e se você entender esses ciclos entenderá muita coisa sobre o crescimento humano.

Os primeiros sete anos são os mais importantes, porque a base da vida está sendo lançada. É por isso que todas as religiões se preocupam tanto em arrebanhar a criança o quanto antes. Aqueles sete anos são o período em que você é condicionado, abarrotado com todo tipo de ideias que assombrarão você pelo resto da vida, que continuarão desviando-o da sua potencialidade, que corromperão você, que nunca deixarão que veja com clareza. Elas sempre nublarão como nuvens a sua visão e tornarão tudo confuso.

As coisas são claras, muito claras – a existência é absolutamente clara –, mas os seus olhos acumularam camadas e mais camadas de poeira. E toda essa poeira foi acumulada nos primeiros sete anos da sua vida, quando você era tão inocente, tão confiante, que tudo o que lhe diziam você aceitava como verdade. E seja o que for que tenha formado os seus alicerces, mais tarde será muito difícil para você descobrir: aquilo passa a fazer parte do seu sangue, dos seus ossos, da sua medula. Você fará milhares de outras perguntas, mas nunca perguntará sobre os fundamentos básicos das suas crenças.

A primeira expressão de amor pelo seu filho é deixar que ele passe pelos primeiros sete anos da vida completamente inocente, incondicionado; deixá-lo durante sete anos completamente primitivo, um pagão. Ele não deve ser convertido para o hinduísmo, o islamismo, o cristianismo. Qualquer pessoa que estiver tentando converter o filho para alguma religião não tem compaixão, é cruel; está contaminando a própria alma de um recém-chegado. Antes mesmo que a criança tenha feito perguntas, ela já recebe respostas cheias de filosofias, dogmas, ideologias. Essa é uma situação muito estranha. A criança não perguntou sobre Deus, e você vai ensiná-la sobre Deus. Por que tanta impaciência? Espere!

Se a criança algum dia mostrar interesse por Deus e começar a perguntar, então procure responder às perguntas dela com base não apenas na sua ideia de Deus – porque ninguém tem o monopólio. Coloque diante dela todas as ideias de Deus que já foram apresentadas a diferentes pessoas em diferentes épocas, religiões, culturas, civilizações. Coloque diante dela todas as ideias sobre Deus e então diga, "Você pode escolher qualquer uma dessas, a que lhe parecer mais interessante. Ou pode inventar a sua própria, se nada mais agradá-lo. Se tudo lhe parecer ruim, e você achar que pode ter uma ideia melhor, então invente a sua própria. E, se achar que não é possível inventar uma ideia que não tenha falhas, então largue a coisa toda; não faz mal".

Uma pessoa pode viver sem Deus; não existe uma necessidade intrínseca. Milhões de pessoas vivem sem Deus, portanto Deus não é uma necessidade inevitável para qualquer pessoa. Você pode dizer à criança, "Sim, eu tenho a minha própria ideia; e ela está incluída nessa combinação de todos os tipos de ideia que lhe apresentei. Você pode escolhê-la, mas não estou dizendo que a minha ideia seja a certa. Ela me parece boa; pode não parecer para você".

Não existe nenhuma necessidade interior de que o filho concorde com o pai, a filha concorde com a mãe. Na verdade, parece muito melhor que o filho *não* concorde com os pais. É assim que a evolução acontece. Se o filho concordar com o pai, não haverá nenhuma evolução, porque cada pai concordará com o seu próprio pai e todo mundo estará onde Deus deixou Adão e Eva – nus, fora dos portões do Paraíso. Todo mundo ficará parado ali.

Foi porque filhos e filhas discordaram de seus pais e mãe, de toda a tradição deles que os seres humanos evoluíram. Toda essa evolução resultou da discordância com o passado. E quanto mais inteligente você for, mais você vai discordar. Mas os pais apreciam os filhos que concordam com eles e condenam os que discordam.

Se, até os 7 anos, a criança tiver preservada a sua inocência, sem ser corrompida pelas ideias de outras pessoas, então será impossível desviá-la do seu próprio potencial de crescimento. Os primeiros sete anos da criança são os mais vulneráveis. E elas estão nas mãos dos pais, dos professores, dos padres. Como salvar as crianças dos pais, dos padres, dos professores é uma questão de enorme importância, mas cuja solução parece quase impossível. Não se trata de ajudar a criança. Trata-se de protegê-la. Se você tem um filho, proteja-o de você mesmo. Proteja-o de outras pessoas que possam influenciá-lo; pelo menos até os 7 anos, proteja-o. A criança é como uma plantinha, frágil, delicada; um vento forte pode derrubá-la, um animal pode devorá-la. Você pode pôr uma cerca protetora em torno dela, e isso não será o mesmo que aprisioná-la; você estará apenas protegendo-a. Quando a planta crescer, a cerca poderá ser removida.

Proteja a criança de todo tipo de influência para que ela possa continuar sendo ela mesma, e isso só até os 7 anos, porque daí o primeiro ciclo estará completo. Aos 7 anos ela já estará bem alicerçada, centrada, suficientemente forte. Você não sabe como uma criança de 7 anos pode ser forte, porque nunca viu uma criança que não tenha sido corrompida; só viu crianças corrompidas. Estas carregam o medo, a covardia do pai, da mãe, da família. Não são elas próprias.

Se a criança se mantiver imaculada até os 7 anos, você ficará surpreendido ao conhecê-la. A lucidez dela será aguçada. Os olhos serão límpidos, a visão será clara. E você verá uma tremenda força nela, como nunca viu em adultos de 70 anos, porque os alicerces não são firmes nos adultos.

Quando os alicerces não são firmes, à medida que a construção é erigida e vai ficando cada vez mais alta, as bases vão ficando cada vez mais instáveis. Você perceberá que, quanto mais velha a pessoa, mais medrosa ela é. Quando você é jovem, pode ser ateu, quando fica mais velho você começa a acreditar em Deus. Por que isso? Quando tinha menos de 30 anos, você era um *hippie*. Tinha coragem de ir contra a sociedade, se comportar do seu próprio jeito; ter cabelos compridos, ter barba, vagar pelo mundo e correr todos os riscos. Mas quando chegar aos 40, tudo isso já terá desaparecido. Você estará em algum escritório de terno, barbeado, bem-arrumado. Ninguém nem desconfia que um dia você foi *hippie*.

Para onde foram todos os *hippies*? A princípio você os vê em toda a sua força, depois eles se tornam como cartuchos vazios, impotentes, derrotados, deprimidos, tentando dar algum sentido à vida deles, sentindo que todos aqueles anos de estilo de vida *hippie* foram em vão. Outros foram além: alguns se tornaram presidentes, outros se tornaram governadores, e começaram a pensar, "Como éramos idiotas... ficávamos só tocando violão enquanto o mundo todo nos passava a perna". Estão arrependidos. É muito difícil encontrar um velho *hippie*.

Portanto, se você é pai ou mãe, precisará ter muita coragem para não interferir. Abra para o seu filho portas de caminhos desconhecidos para que ele possa explorá-los. Ele não sabe o que tem dentro deles, ninguém sabe. Ele tem que tatear na escuridão. Não faça com que ele tenha medo do escuro, que tenha medo do fracasso, que tenha medo do desconhecido. Dê a ele o seu apoio. Quando ele partir rumo ao desconhecido, que ele vá com todo o seu apoio, todo o seu amor, todas as suas bênçãos. Não deixe que ele seja afetado pelos seus medos. Você pode ter medos, mas guarde-os para si. Não incuta esses medos no seu filho, porque eles vão interferir.

Depois dos primeiros sete anos, o nível seguinte de sete anos, dos 7 aos 14, será um acréscimo à vida da criança. Ela começa a sentir o primeiro frêmito das energias sexuais. Mas essa é apenas uma espécie de ensaio.

Ser pai é uma tarefa difícil; por isso, a menos que esteja pronto para cumpri-la, não tenha um filho. As pessoas têm filhos sem nem mesmo saber o que estão fazendo. Você está trazendo uma nova vida ao mundo; todo cuidado, no mundo, será necessário.

O momento em que o filho começa a ensaiar os seus primeiros passos no campo sexual é aquele em que os pais mais interferem, porque eles também sofreram essa interferência. Tudo o que eles sabem é o que fizeram com eles, por isso fazem a mesma coisa com os filhos. As sociedades não permitem os ensaios sexuais, ou pelo menos não permitiram até agora; e isso acontece também nos países mais avançados. Agora meninos e meninas são pelo menos educados na mesma escola. Mas, em países como a Índia, até mesmo hoje em dia o ensino misto só começa na universidade. O menino de 7 anos e a menina de 7 anos não podem estudar na mesma escola. E essa é a hora deles – sem nenhum risco, sem que a garota fique grávida, sem que provoquem nenhum problema para a família – essa é a idade em que deviam ter liberdade para todo tipo de brincadeira. Sim, ela terá uma conotação sexual, mas é apenas um ensaio; não é o drama de verdade. E, se você não permitir que ensaiem, um dia as cortinas se abrirão e o drama começará para valer! Os atores não saberão o que está acontecendo; não terão nem o ponto para lhes dizer o que fazer. Você terá bagunçado a vida deles completamente.

Os sete anos do segundo ciclo da vida são muito importantes como um período de ensaio. As crianças vão se encontrar, brincar, se familiarizar. E isso ajudará a humanidade a se livrar de quase 90% das suas perversões. Se as crianças dos 7 aos 14 anos tiverem permissão para ficarem juntas, nadar juntas, ficar peladas uma diante da outra, 90% das perversões e 90% da pornografia simplesmente desaparecerão. Quem vai se importar com isso? Se um garoto já viu tantas meninas nuas, que interesse pode ter uma revista como a *Playboy* para ele? Se uma garota já viu muitos garotos nus, não acho que haja nenhuma possibilidade de que tenha curiosidade com relação a eles; ela simplesmente desaparecerá. As crianças vão crescer naturalmente, não como duas espécies diferentes de animais.

Nos dias de hoje, é assim que elas crescem, como se fossem duas espécies de animais diferentes. Elas não pertencem à mesma espécie humana; são mantidas separadas. São criadas milhões de barreiras entre elas, que impedem que façam qualquer ensaio para a vida sexual que têm à frente. É por causa dessa falta de ensaio que também faltam estímulos sexuais preliminares na vida das pessoas. E essas preliminares são importantes – muito mais importante do que o contato sexual em si, porque o ato sexual leva apenas alguns minutos. Ele não nutre você, só o deixa num limbo. Você espera tanto e não obtém quase nada.

Em hindi, temos um provérbio: *Kheela pahad nikli chuhia*. "Você cava a montanha inteira e só encontra um rato." Depois de todo o esforço – vai ao cinema, vai à danceteria, vai ao restaurante e conversa sobre todo tipo de bobagem que nem você nem ninguém quer saber, mas todo mundo conversa –, cava a montanha e, no final, apenas um rato! Nada é tão frustrante quanto o sexo.

Um dia destes alguém me trouxe um anúncio de um novo carro, e no anúncio tinha uma bela frase de que eu gostei. A frase era: "Melhor do que sexo". Eu não estou nem aí para o carro, mas o anúncio é maravilhoso! Com certeza, se olhar à sua volta, você vai encontrar milhares de coisas melhores do que sexo. O sexo é só um rato; depois de tanta esfregação, tanta transpiração, no final ambos se sentem trapaceados. A razão é que você não conhece a arte do sexo; você só sabe até metade. É como se você assistisse durante alguns segundos a um filme que já está pela metade. É claro que você não vai entender nada. Está faltando o começo e o fim. Talvez você só veja uma cena em que não esteja acontecendo nada.

O homem se sente envergonhado depois do sexo; ele se vira de costas e dorme. Simplesmente não consegue encarar a mulher. Ele se sente envergonhado, é por isso que se vira de lado e vai dormir. A mulher chora porque não era o que ela esperava. É só isso? E tanto drama em torno disso? Mas isso acontece porque a parte da vida reservada para os ensaios foi suprimida pela sociedade. Você não conhece os preliminares.

Os preliminares são de fato a parte mais prazerosa do sexo. É a parte em que há mais carinho. O sexo é simplesmente um clímax biológico, mas clímax de quê? Você não passou por nada que poderia levar a um clímax. Você acha que vai chegar ao clímax de repente, sem ter passado por todos os degraus da escada? Você tem que subir a escada toda, degrau por degrau, só então chegará ao clímax. Todo mundo quer ir direto para o clímax.

Mas a vida sexual da maioria das pessoas não é nada mais do que um tipo de alívio. Sim, por um instante você sente um alívio, assim como acontece quando espirra. A sensação depois é muito boa! Mas quanto tempo ela dura? Por quanto tempo você se sente bem depois de um espirro? Durante quantos segundos, quantos minutos você pode se gabar e dizer, "Eu dei um espirro e foi muito bom". Quando o espirro acaba, com ele se vai toda alegria. Era só alguma coisa que o incomodava. Você se livrou do incômodo e agora há um leve relaxamento. Essa é a vida sexual da maioria das pessoas do mundo. Uma certa energia estava incomodando você, estava fazendo com que se sentisse pesado; estava se tornando uma dor de cabeça. O sexo lhe traz um alívio.

Mas a maneira como as crianças estão sendo criadas está massacrando toda a vida delas. Esses sete anos de ensaio sexual são absolutamente essenciais. Meninas e meninos precisam ficar juntos nas escolas, nos albergues, nas piscinas e nas camas. Eles precisam ensaiar para a vida que têm pela frente; têm de se preparar para ela. E não há perigo nenhum, não há problema nenhum dar à criança total liberdade para explorar a sua energia sexual crescente, sem condená-la, sem reprimi-la. Mas isso é o que vem ocorrendo. É um mundo muito estranho esse em que você está vivendo. Você nasceu do sexo, viverá fazendo sexo, os seus filhos nasceram do sexo – e o sexo é a coisa mais condenada deste mundo, o maior dos pecados. E todas as suas religiões continuam a colocar essas baboseiras na sua cabeça.

As pessoas do mundo inteiro estão cheias das coisas mais nojentas que você pode imaginar, pela simples razão de que não tiveram permissão para crescer do jeito natural. Não tiveram permissão para aceitar a si mesmas. Todas elas se tornaram fantasmas. Não são pessoas de verdade, são só sombras de alguém que elas podiam ter sido.

O segundo ciclo de sete anos é imensamente importante porque preparará você para os sete anos seguintes. Se você fez a sua lição de casa direitinho, se brincou com a sua energia sexual com espírito esportivo – e durante esses anos, esse é o único espírito que você terá –, você não se tornará um pervertido nem surgirá na sua cabeça todo tipo de coisas estranhas. Ao contrário, você irá avançar naturalmente com o outro sexo e o outro sexo estará avançando com você. Não haverá impedimentos e você não fará nada errado com o seu corpo. A sua consciência estará cristalina, porque ninguém terá enchido a sua cabeça com ideias sobre o que é certo e errado: você será simplesmente o que é.

Então, dos 14 aos 21 anos, você amadurece sexualmente. E isso é importante para que entenda uma coisa: se houve um período de ensaio, nos sete anos em que você amadurece sexualmente uma coisa muito estranha, que você nunca imaginou, acontece, porque ela não teve chance de acontecer. Eu disse que o segundo ciclo de sete anos, dos 7 aos 14 anos, dá a você um vislumbre das preliminares. O terceiro ciclo de sete anos lhe dará um vislumbre das pós-liminares. Você ainda estará junto com meninas ou meninos, mas agora uma nova fase começa no seu ser: você começa a se apaixonar.

Ainda não se trata de um interesse biológico. Você não está interessado em conceber crianças, não está interessado em se casar, nada disso. Esses são os anos dos jogos românticos. Você está mais interessado na beleza, no amor, na poesia, na escultura, que são, todos eles, fases diferentes do romantismo. E, a menos que uma pessoa tenha algum romantismo na vida, ela nunca saberá o que são as pós-liminares. O sexo está simplesmente no meio. Quanto mais longas as preliminares, maior é a possibilidade de se atingir o clímax; quanto maior a possibilidade de atingir o clímax, maior a abertura para as pós-liminares. E a menos que um casal conheça as pós-liminares, nunca saberá o que é o sexo em sua totalidade.

Agora existem sexólogos que estão ensinando sobre preliminares. Preliminares aprendidas não são a coisa de verdade, mas eles estão ensinando; pelo menos reconhecem o fato de que, sem preliminares, não é possível atingir o clímax. Mas eles não sabem direito como ensinar sobre as pós-liminares, porque quando um homem atinge o clímax ele perde o interesse. Ele não quer mais saber de nada, o dever está cumprido. Para que haja pós-liminares, o casal precisa de uma mente romântica, uma mente poética, uma mente que saiba como ser grata, como ser agradecida. A pessoa, mulher ou homem, que levou você ao clímax, precisa de um agradecimento. As pós-liminares são o seu agradecimento. E a menos que haja pós-liminares, o sexo não estará completo; e o sexo incompleto é a causa de todos os problemas que o ser humano enfrenta. O sexo só leva ao orgasmo quando as preliminares e as pós-liminares estão em perfeito equilíbrio. Só quando elas estão em equilíbrio, o clímax se transforma em orgasmo.

E a palavra "orgasmo" precisa ser compreendida. Ela significa que todo o seu ser – corpo, mente, alma, tudo – está envolvido, organicamente envolvido. Então ele passa por um momento de meditação. Para mim, se o sexo não se tornar, por fim, num momento de meditação, não é possível saber o que ele é. Você só ouviu falar a respeito, só leu a respeito; e as pessoas que escrevem sobre o assunto não sabem nada a respeito dele. Eu li centenas de livros sobre sexologia, escrito por pessoas que são consideradas grandes especialistas, e elas são "especialistas", mas não sabem nada sobre o santuário interior onde a meditação frutifica. Assim como as crianças nascem do sexo comum, a meditação nasce do sexo extraordinário.

Os animais podem ter filhotes; não há nada de especial nisso. Só o homem pode suscitar a experiência da meditação como centro do seu sentimento orgástico. Isso só é possível se as pessoas tiverem liberdade para conhecer o romantismo dos 14 aos 21 anos.

Dos 21 aos 28 anos, é o período em que elas podem sossegar. Podem escolher um parceiro. E agora já são capazes de escolher; graças a todas as experiências dos dois ciclos de crescimento anteriores, elas podem escolher o parceiro certo. Ninguém pode fazer isso por você. É algo meio intuitivo – não é aritmética, nem astrologia, nem quiromancia, nem I Ching, nada disso adianta. É um pressentimento. Depois de entrar em contato com muitas pessoas, de repente você sente um clique que nunca sentiu com mais ninguém. É um sentimento que vem com tamanha certeza, é tão absoluto, que você não pode sequer duvidar. E mesmo que você tente duvidar, é impossível, a certeza é grande demais. Depois desse clique você sossega.

Entre os 21 e os 28 anos – em determinado ponto, se você percorreu suavemente o caminho do qual estou falando, sem a interferência de ninguém – então você sossega. E o período mais prazeroso da vida acontece entre os 28 e os 35 anos – é o período mais alegre, mais calmo e harmonioso, porque o casal começa a se fundir.

Dos 35 aos 42 anos, uma nova etapa, uma nova porta se abre. Se até os 35 anos você sentiu uma harmonia profunda, um sentimento orgástico, e descobriu a meditação em torno dele, então dos 35 aos 42 vocês ajudarão um ao outro a ir mais e mais além, rumo à meditação, sem sexo, porque nesse ponto o sexo começa a parecer uma coisa infantil, juvenil.

Quarenta e dois anos é a idade em que a pessoa deveria ser capaz de saber quem ela é. Dos 42 aos 49, ela se aprofunda cada vez mais na meditação, cada vez mais em si mesma, e ajuda o parceiro a fazer o mesmo. Os parceiros se tornam amigos. Não existe mais "marido" e "mulher"; esse tempo já passou. A sua vida está mais rica; agora está se desenvolvendo algo que supera até mesmo o amor. É a amizade, um relacionamento cheio de compaixão, em que um ajuda o outro a mergulhar cada vez mais fundo dentro de si mesmo, a se tornar mais independente, a ficar mais sozinho, assim como duas árvores que crescem separadamente, mas uma ao lado da outra, ou dois pilares de um templo que sustentam o mesmo telhado – tão próximos, mas tão separados, independentes e sozinhos.

Dos 49 aos 56, essa solidão se torna o foco do seu ser. Tudo mais que existe no mundo perde o sentido. A única coisa que continua a fazer sentido é essa solidão.

Dos 56 anos aos 63, você se torna plenamente o que deveria se tornar: o potencial se realiza e, dos 63 aos 70, você começa a se preparar para deixar o corpo. Agora você sabe que você não é o corpo, sabe que não é a mente também. Você descobre que o corpo está separado da mente lá por volta dos 35 anos, e que a mente está separada de você, por volta dos 49 anos. Ora, todo o resto cai por terra a não ser o seu eu testemunha. Sobra apenas, em você, a pura consciência, a chama da consciência – e essa é a preparação para a morte.

Setenta anos é o período natural de vida dos seres humanos. E se as coisas seguirem o seu curso natural, então a pessoa morre com uma tremenda alegria, em grande êxtase, sentindo-se imensamente abençoada por saber que a vida não foi algo sem sentido, que ela pelo menos encontrou o seu lar. E graças a essa riqueza, essa plenitude, a pessoa é capaz de abençoar toda a existência. Só o fato de estar perto de uma pessoa assim no momento da morte já é uma grande oportunidade. Você sentirá, quando ela deixar o corpo, como se uma chuva de flores invisíveis caísse sobre você. Embora não possa vê-las, pode senti-las. É uma grande alegria, tão pura que basta prová-la por alguns instantes para que ela transforme toda a sua vida.

A CHAMA DA CONSCIÊNCIA

Alguém me perguntou, "Como iniciar a jornada para o amor?" No momento em que fizer essa pergunta a jornada já terá se iniciado; você está nessa jornada. Isso é algo que você precisa reconhecer – inconscientemente, você já está nessa jornada. É por isso que dá a impressão de que você tem que iniciá-la. Reconheça isso, tome consciência desse fato, e o próprio reconhecimento representará o primeiro passo.

Você está sempre em movimento, indo a algum lugar – sabendo disso, não sabendo, de boa vontade, a contragosto, mas você está indo – uma força maior está sempre em ação dentro de você. A existência está evoluindo, está constantemente criando algo dentro de você. Portanto a pergunta não é sobre como começar a jornada; a pergunta é sobre como reconhecê-la. A jornada já começou, o que não há é reconhecimento.

Por exemplo, as árvores morrem, mas elas não sabem disso. Os pássaros e os animais morrem, mas também não sabem disso. Só os seres humanos sabem que têm de morrer, e até esse conhecimento é meio difuso, não é claro. E o mesmo acontece com a vida – os pássaros estão vivos, mas não sabem que estão vivos. Como você pode conhecer a vida se não conhece a morte? Como pode saber que está vivo se não sabe que vai morrer? Ambos os reconhecimentos vêm juntos. Os pássaros, os animais e as árvores estão todos vivos, mas eles não reconhecem que estão vivos.

O ser humano reconhece, até certo ponto, que vai morrer, mas esse reconhecimento continua meio anuviado, encoberto por uma névoa espessa. E o mesmo acontece com a vida; você está vivo, mas não sabe exatamente o que significa estar vivo. Isso também está meio confuso, não está claro. Quando eu digo reconhecimento, quero dizer ficar consciente do que é essa energia vital, que já está em movimento. Ficar consciente do seu próprio ser é o início da jornada para o amor. Chegar a um ponto em que você está tão absolutamente consciente que não existe nem um fragmento de escuridão ao seu redor – esse é o fim da jornada. Na verdade, a jornada nunca começa nem nunca acaba. Você continuará existindo mesmo depois dela, mas a partir de então a jornada terá um significado totalmente diferente, uma qualidade totalmente diferente: ela será absolutamente prazerosa. No momento ela é absolutamente deplorável.

"Como iniciar a jornada para o amor?" Fique mais atento aos seus atos, aos seus relacionamentos, aos seus movimentos. Tudo o que fizer, mesmo que seja uma coisa corriqueira como andar na rua, procure fazer num estado mais alerta. Procure dar cada passo com total consciência. Buda costumava dizer aos seus discípulos: Quando der um passo com o pé direito, lembre-se, agora este é o pé direito. Quando der um passo com o pé esquerdo, lembre-se, agora este é o pé esquerdo. Quando inspirar o ar, lembre-se, "Agora estou inspirando o ar". Quando expirar, lembre-se, "Agora estou expirando". Não que tenha que verbalizar. Não que tenha que dizer em palavras "Eu estou inspirando", só precisa ficar alerta de que agora o ar está entrando. Eu estou falando com vocês, então tenho que usar palavras, mas quando você está ficando alerta não precisa usar palavras, porque as palavras são parte da neblina. Não use palavras, só sinta o ar entrando, enchendo os seus pulmões e depois saindo. Só observe, e logo você chegará a um reconhecimento, um grande reconhecimento de que não é apenas o ar que está entrando e saindo, mas a própria vida. Cada inspiração é a vida infundindo a sua energia em você. Cada expiração é uma morte momentânea. A cada respiração você morre e renasce. Cada respiração é uma crucificação e uma ressurreição.

E quando você observa isso, conhece um belo sentimento de confiança.

Quando expira o ar, nada lhe garante que será capaz de inspirá-lo outra vez. Qual é a certeza? Quem garante? Quem *pode* garantir que você será capaz de inspirar o ar outra vez? Mas, por algum motivo, existe uma profunda confiança; você sabe que conseguirá inspirar outra vez. Do contrário, a respiração seria impossível. Se você ficasse com muito receio – "Se eu expirar o ar e passar por essa pequena morte, quem me garante que eu conseguirei inspirar outra vez? Se não vou conseguir, é melhor não expirar" –, então morreria na mesma hora! Se parar de expirar, você morrerá. Mas você não faz isso, porque existe uma profunda confiança. A confiança faz parte da vida, faz parte do amor. Ninguém precisou ensiná-la a você.

Quando uma criança dá os primeiros passos, existe nela uma enorme confiança de que conseguirá andar. Ninguém ensinou isso a ela. Ela simplesmente viu outras pessoas andando, só isso. Mas como ela pode chegar à conclusão de que conseguirá andar também? Ela é tão pequena! As pessoas são tão grandes, gigantes comparadas a ela, e ela sabe que, sempre que fica em pé, acaba caindo – mas mesmo assim continua tentando. A confiança é inata. Ela está presente em cada célula de vida. A criança tenta, e muitas vezes ela cai; ela tentará repetidas vezes. Um dia, a confiança prevalece e ela começa a andar.

Se observar a sua respiração, você perceberá uma profunda camada de confiança, uma confiança sutil na vida – não há dúvida, qualquer hesitação. Se você andar, e andar em estado de alerta, pouco a pouco perceberá que não está andando, você está "sendo conduzido". É um sentimento muito sutil, esse de que a vida está levando você, não é você que está se movendo. Quando fica com fome, se ficar consciente verá que é a vida sentindo fome dentro de você, não você.

Ao viver num estado mais alerta, você tomará consciência de que só existe uma coisa que você pode dizer que é sua: o seu testemunho. Todo o resto pertence ao universo; só o seu testemunho pertence a você. Mas quando você toma consciência disso, até a ideia de "eu" se dissipa. Isso também não pertence a você. Isso fazia parte da escuridão, fazia parte da névoa que se concentrou à sua volta. Em plena luz do dia, quando o céu está claro e as nuvens deram lugar ao sol, não existe possibilidade de cultivarmos a ideia de "eu". Sobra apenas o testemunho; nada lhe pertence. Esse testemunho é o objetivo da sua jornada.

Como iniciar a jornada? Comece se tornando cada vez mais uma testemunha. O que quer que faça, faça num estado profundamente alerta; depois disso até as menores coisas se tornam sagradas. Até cozinhar e limpar a casa se tornam sagrados; tornam-se um culto. Não interessa o que está fazendo; interessa o modo como está fazendo. Você pode limpar o chão como um robô, uma coisa mecânica; você tem que limpar, então limpa. Mas você perde uma coisa muito bela. Você desperdiça esses momentos só limpando o chão. Limpar o chão poderia ter sido uma grande experiência e você a desperdiçou. O chão está limpo agora, mas algo que poderia ter acontecido dentro de você não aconteceu. Se você tivesse ficado consciente, não apenas o chão, mas *você* também teria passado por uma profunda limpeza.

Limpe o chão totalmente consciente, iluminado pela consciência. Trabalhe, sente-se, caminhe, mas existe uma coisa que precisa servir como um fio; faça com que cada vez mais momentos da sua vida sejam iluminados pela consciência. Que a chama da consciência queime a cada momento, em cada ato. O efeito cumulativo disso é que se chama de iluminação. O efeito cumulativo de todos os momentos juntos, de todas as pequenas chamas juntas, torna-se uma grande fonte de luz.

PARTE II

O amor é uma brisa

Aproveite o romance ao máximo

Não pense que o amor tem que ser permanente e isso tornará a sua vida amorosa mais bonita, pois você saberá que hoje vocês estão juntos e amanhã podem não estar.

O amor vem como uma brisa, fresca, perfumada, que entra na sua casa, deixando-a repleta de frescor e perfume, durando o tempo que a existência lhe conceder e depois indo embora. Você não deve tentar fechar todas as portas, senão a brisa fresca se tornará um ar viciado. Na vida, tudo está mudando e a mudança é belíssima; ela lhe proporciona mais e mais experiências, mais e mais consciência, mais e mais maturidade.

IDEIAS ABSURDAS NA SUA MENTE

O amor é a única religião, o único Deus, o único mistério que tem que ser vivido, compreendido. Quando o amor for compreendido, você terá compreendido todos os sábios e todos os místicos do mundo. Não é uma coisa difícil. É tão simples quanto as batidas do seu coração ou a sua respiração. Ele vem com você, não é concedido pela sociedade. E esse é o ponto que eu quero enfatizar: o amor vem com o nascimento, mas não vem plenamente desenvolvido, é claro, assim como todo o resto. A criança tem que crescer.

A sociedade se aproveita dessa lacuna. O amor da criança leva tempo para crescer; enquanto isso a sociedade aproveita para condicionar a mente da criança com ideias falsas sobre o amor. Na época em que está pronto para explorar o mundo do amor, você já está abarrotado com tantas bobagens sobre o amor que já não há muita esperança de que seja capaz de encontrar o autêntico e descartar o falso.

Por exemplo, todas as crianças, em todos os lugares, ouvem milhares de vezes que o amor é eterno: depois que ama uma pessoa você a amará para sempre. Se você ama uma pessoa e mais tarde sentir que não a ama mais, isso significa que nunca a amou. Ora, essa é uma ideia muito perigosa. Ela lhe dá a ideia de um amor permanente e, na vida, nada é permanente. As flores desabrocham pela manhã e, à noite, já murcharam.

A vida é um fluxo contínuo; tudo está mudando, se movimentando. Nada é estático, nada é permanente. Estão lhe transmitindo uma ideia de amor permanente que destruirá toda a sua vida. Você vai esperar um amor permanente de uma pobre mulher e a mulher esperará um amor permanente de você também.

O amor se torna secundário, o permanente se torna mais importante. E o amor é uma flor tão delicada que não pode ser forçada a ser permanente. Você pode ter flores de plástico, que é o que as pessoas têm – casamento, família, filhos, parentes, tudo de plástico. O plástico só tem uma coisa muito espiritual: é permanente. O amor verdadeiro é uma incerteza assim como a vida é uma incerteza. Você não pode afirmar que estará aqui amanhã. Você não pode sequer dizer que vai estar vivo daqui a pouco. A sua vida está mudando continuamente – desde a infância até a juventude, a meia-idade, a velhice, a morte, ela continua mudando.

O amor de verdade também mudará.

É possível que, se você for uma pessoa iluminada, o seu amor tenha transcendido as leis costumeiras da vida. Ele nem está mudando nem é permanente; simplesmente é. Não é mais uma questão de como amar; você se tornou o próprio amor, por isso o que quer que faça é amoroso. Não que você faça algo especificamente que seja amor; faça o que fizer, o seu amor se derramará sobre isso. Mas antes da iluminação o seu amor será exatamente como todo o resto: ele mudará.

Se você compreender que ele mudará, que um dia a sua parceira pode se interessar por outra pessoa e você terá que ser compreensivo, amoroso e ter consideração por ela, deixando que ela siga o caminho que manda o coração – essa é a oportunidade que você tem de provar à sua parceira que a ama. Você a ama; mesmo que ela passe a amar outra pessoa, isso é irrelevante. Com entendimento, é possível que o seu amor se torne um caso de uma vida inteira, mas lembre-se de que ele não será permanente. Terá altos e baixos, passará por mudanças.

É muito simples de entender. Quando começou a amar, você era muito jovem, sem nenhuma experiência; como o seu amor pode continuar igual se você se tornou uma pessoa madura? O seu amor também amadureceu. E quando você ficar mais velho o seu amor também terá um gosto diferente. O amor continuará mudando, e de vez em quando ele precisará de uma oportunidade para mudar. Numa sociedade saudável, será possível lhe dar essa oportunidade, sem que o relacionamento seja rompido.

Mas também é possível que você tenha que mudar muitas vezes de parceiro ao longo da vida. Não há nenhum mal nisso. Na realidade, mudando muitas vezes de parceiro ao longo da vida, a sua vida ficará mais rica; e se todo mundo seguisse o que estou lhe dizendo sobre o amor, o mundo inteiro ficaria mais rico.

Mas uma ideia equivocada destruiu todas as possibilidades. No momento em que o seu parceiro olhar para outra pessoa, só olhar, os olhos dele mostrarão essa atração e você ficará fora de si. Você precisa entender que, se um homem perder o interesse pelas mulheres bonitas que vê na rua, pelas atrizes belíssimas do cinema, é isso o que você quer; quer que ele não se interesse por ninguém a não ser você. Mas você não entende a psicologia humana. Se não se interessar pelas mulheres na rua, do cinema, então por que ele se interessará por você? O interesse dele pelas mulheres é a garantia de que está interessado em você, de que ainda há uma possibilidade de que o seu amor possa continuar.

Mas estamos fazendo justamente o oposto. Cada homem está tentando dar um jeito para que a sua mulher nunca se interesse por mais ninguém além dele; ele tem de ser o único foco de atenção da mulher, o seu único interesse. As mulheres estão exigindo a mesma coisa, e ambos estão deixando o parceiro maluco. Focar a atenção numa única pessoa só pode deixar você maluco.

Para ter uma vida mais leve, mais divertida, você precisa ser flexível. Tem que se lembrar que a liberdade é o valor mais precioso e, se o amor não está lhe dando liberdade, então não é amor.

A liberdade é um critério: qualquer coisa que lhe der liberdade está certa e qualquer coisa que destruir a sua liberdade está errada. Se você conseguir se lembrar desse pequeno critério na vida, aos poucos começará a tomar o rumo certo em tudo: nos relacionamentos, nas meditações, na criatividade, naquilo que você é.

Deixar de lado velhos conceitos, conceitos vis. Por exemplo, na Índia, milhões de mulheres morreram queimadas vivas nas piras funerárias dos maridos. Isso mostra que a possessividade do marido é tamanha que ele não quer apenas possuí-la enquanto está vivo, mas tem medo do que acontecerá quando ele estiver morto! Ele não poderá fazer nada depois disso, então é melhor levá-la com ele.

E note que isso só se aplicava às mulheres – nem um único homem saltou na pira funerária da mulher em dez mil anos. O que isso significa? Significa que só as mulheres amam os homens e os homens não amam as mulheres? Significa que as mulheres não têm vida própria? A vida dela se resume na vida do marido? Quando ele morre, a vida dela também chega ao fim?

Essas ideias absurdas foram incutidas na nossa mente. Você tem que fazer uma faxina constante. Sempre que deparar com bobagens na sua mente, limpe-a, jogue-as fora. Se você estiver limpo e a sua mente, vazia, você será capaz de encontrar soluções para todos os problemas que surgirem na sua vida.

Percebi recentemente que eu não consigo nem ver um homem, que dirá amá-lo. Aceitei o condicionamento de raiva da minha mãe com relação aos homens. Quando um homem se aproxima de mim, oferecendo o seu amor, eu fujo, e isso só o estimula a vir atrás de mim. Esse joguinho que eu faço é muito feio. Por favor, me ajude a me livrar desse lixo, a ser capaz de ver os homens e perceber a sua beleza, os seus dons, o seu amor.

Se você quer realmente se livrar desse lixo, tem de tomar consciência de que a sua mãe está nesse lixo, e isso vai ferir você. Você foi envenenada pela sua mãe. De todas as centenas de problemas e dificuldades que vocês têm, quase 90% são por causa das suas mães, porque a criança cresce no útero da mãe. Mesmo enquanto ela está no útero, o estado de espírito e as emoções da mãe a afetam. Se a mãe vive com raiva, triste, melancólica, frustrada; se ela não quer a criança e o marido a forçou a ter um filho; se ela está gerando essa criança contra a vontade, todas essas coisas vão afetar as fibras básicas da mente da criança. A criança está sendo gerada; não é só o sangue ou as células da mãe que influenciam a criança, ela também é influenciada pela sua psicologia.

Por isso, quando a mulher está grávida, ela tem que ter muito cuidado, porque uma nova vida está se formando dentro dela. Qualquer coisa que ela faça – brigar com o marido, brigar com os vizinhos, ou se sentir frustrada por algum motivo – estará envenenando a mente da criança a partir das próprias bases. Mesmo antes de nascer ela já estará sendo prejudicada.

Não é só a sua mãe que tem raiva dos homens. A grande maioria das mulheres tem raiva do marido. O mesmo vale para os maridos; a maioria deles tem raiva da esposa. Mas a raiva do pai não afeta tanto a criança, porque a criança é gerada no útero da mãe, começa a crescer sob a proteção da mãe, não do pai. O pai é só um visitante casual. Pela manhã ele pode dar um beijo na criança, fazer um afago e ir para o escritório. À noite ele pode chegar e conversar um pouquinho com o filho; mas durante o dia todo a criança aprende tudo com a mãe.

É por isso que todo idioma é chamado de "língua materna", pois o pai não tem nenhuma chance de falar com a criança quando a mãe está presente! A mãe fala e o pai ouve – a criança aprende o idioma com a mãe. E não só o idioma como todas as suas atitudes.

Mas a vida até o dia de hoje tem sido comandada principalmente pelos homens. Temos uma sociedade criada pelos homens e, há séculos, não existe lugar para as mulheres. É por isso que é tão estranho que as mulheres não demonstrem solidariedade pelas outras mulheres. A mente delas está tão condicionada que elas demonstram solidariedade pelos homens.

De vez em quando acontece, como aconteceu com a pessoa que fez a pergunta, de uma mulher carregar lá no fundo os sentimentos da mãe. A mãe é contra os homens – e eu não vejo por que ela não deveria ser; isso tem razão de ser. É algo muito justificado, mas não vai ajudar a sociedade humana nem criar um futuro melhor.

Passado é passado. Você precisa começar a olhar para os homens com novos olhos – e principalmente neste lugar, onde todo o esforço é no sentido de expor o condicionamento, nos "desipnotizar". Todo o lixo que você está carregando tem de ser jogado fora; você precisa se livrar desse fardo e ficar mais leve, para que possa chegar ao seu próprio entendimento, à sua própria conclusão.

E às mulheres desta comunidade não falta instrução. Vocês são financeiramente capazes de ser independentes – e tão inteligentes quanto qualquer homem. Não há por que ter raiva dos homens. Se a sua mãe tinha – talvez ela não tivesse instrução, não tivesse independência financeira. Ela queria ser livre, mas estava aprisionada. Você não está.

Essa é uma das razões por que eu não posso me comunicar com a vasta maioria de indianos; porque o homem não se dispõe a me ouvir; isso vai contra a sua dominação, o seu poder. E a mulher não consegue me entender; ela não tem instrução. Mesmo que conseguisse, ela não é financeiramente capaz de se sustentar; não pode se rebelar contra a sociedade criada pelos homens. Na maioria das regiões da Índia, não existe nada parecido com um movimento de libertação das mulheres – nem mesmo se fala disso. Mulher nenhuma jamais acha que existe uma possibilidade de libertação. Elas perderam todas as esperanças.

Mas a sua situação é diferente. Você vem de um país onde as mulheres podem receber instrução, e a instrução torna você financeiramente independente. Você não precisa ser dona de casa; não precisa se casar. Pode viver com alguém que ame sem se casar.

A mulher tem que lutar por isso, a mulher tem que fazer do casamento uma questão absolutamente pessoal, em que o governo, o estado, a sociedade, ninguém tenha nada que interferir.

Você está numa situação completamente diferente da situação da sua mãe. Ora, carregar a raiva e o condicionamento dela é estupidez. Simplesmente perdoe-a e esqueça, porque, se continuar mantendo esse condicionamento de raiva contra os homens, você nunca se sentirá completa, pois o homem ou a mulher incapaz de amar é uma pessoa incompleta, frustrada.

Assim, isso cria um círculo vicioso. A sua raiva o impede de amar, porque amar significa abrir mão da raiva contra os homens e passar para a polaridade diametralmente oposta – em vez de raiva, amor; em vez de ódio, amor. Um salto quântico precisa de coragem. O círculo vicioso é que, por causa do condicionamento de raiva você não consegue amar os homens e como não consegue amar os homens você fica cada vez mais frustrada, e a sua frustração a deixa com mais raiva ainda – esse é o círculo vicioso. A raiva traz frustração; a frustração deixa você com raiva, mais violenta, mais contra os homens. Isso traz mais raiva, e o círculo continua cada vez mais profundo. Sair dele fica quase impossível.

Você tem que começar do início. A primeira coisa é tentar entender que a sua mãe viveu uma situação diferente. Talvez a raiva dela fosse justificada. A sua situação é diferente, e carregar a sua mãe dentro da sua cabeça é pouco inteligente. Você tem que viver a sua vida; não tem que viver a vida da sua mãe. Ela sofreu; por que você quer trazer mais sofrimento para este mundo? Por que você quer ser uma mártir?

Tenha compaixão da sua mãe – não estou dizendo para ter raiva dela, que condicionou você. Isso só servirá para manter você com raiva, você só mudará o alvo da sua raiva dos homens para a sua mãe. Não, você precisa deixar a raiva completamente de lado. A sua mãe precisa da sua compaixão; ela deve ter sofrido e isso a deixou com raiva. Mas *você* não está sofrendo. Você pode deixar a sua raiva de lado e olhar os homens com novos olhos. Se os seus antepassados fizeram as mulheres sofrer não há nada que possam fazer para apagar isso. O que aconteceu está feito. Agora eles podem lamentar profundamente no coração pelo que o homem fez com as mulheres. Esses tipos de homem pertencem a uma categoria diferente de pessoa.

Estou tentando criar possibilidades para o surgimento de um novo tipo de ser humano, que não esteja contaminado pelo passado, que não repita o passado. É uma tarefa difícil; é quase como bater a cabeça contra a parede. Mas eu estou determinado a continuar batendo-a – eu confio na minha cabeça! E a parede é muito velha e obsoleta. Pode me ferir, mas um dia tem que cair; o tempo dela acabou. Já durou mais do que devia.

Portanto, medite mais, e esteja atenta aos momentos em que a voz da sua mãe começar a falar na sua cabeça. Aos poucos, coloque essa voz para dormir. Não a ouça; ela está atrapalhando a sua vida. Você tem que aprender a amar. E quando é amado, o homem fica mais educado, gentil, um cavalheiro. Ele perde as arestas, fica mais brando. Por meio do amor, a mulher começa a florescer; do contrário ela continua sendo um botão. Só no amor, quando o sol do amor se levanta, ela abre as pétalas. Só no amor os olhos dela adquirem uma nova profundidade, um brilho diferente; o seu rosto começa a ter uma aparência feliz. Ela passa por uma transformação profunda por meio do amor; ela atinge a maturidade, a maioridade.

Por isso, livre-se do condicionamento que a sua mãe inconscientemente lhe transmitiu. Você o aceitou inconscientemente. Para isso você precisa tomar consciência dele. A sua pergunta já foi um bom começo. É o início da sua consciência – o bê-á-bá. Você tem de ir mais adiante para mudar a sua cabeça completamente, para se renovar, se descondicionar, ficar aberta e vulnerável.

E por causa desse condicionamento você tem feito esse joguinho infame, que é fugir quando um homem se aproxima de você com o seu amor e assim estimulá-lo a ir atrás de você. O fato de ele persegui-la a agrada. Toda mulher gosta disso. É feio e você não está consciente das implicações mais profundas. Significa que você é a presa; o homem é o caçador e ele está brincando de caçar. Você está permitindo a supremacia do homem, sem perceber. A tradição lhe ensinou que a iniciativa no amor deve ser do homem, não da mulher; isso depõe contra a elegância da mulher. Essas ideias são obsoletas – por que já começar sendo a número dois? Se você ama um homem, por que esperar? Conheço muitas mulheres que esperaram durante anos porque queriam que o homem tomasse a iniciativa. Mas elas se apaixonaram por homens que não iam tomar a iniciativa.

Conheço uma mulher de Bombaim que estava apaixonada por J. Krishnamurti. Toda a sua vida ela se manteve solteira, esperando que ele tomasse a iniciativa. Ela é uma das mulheres mais lindas que já vi, mas J. Krishnamurti está absolutamente preenchido por ele mesmo, não precisa de ninguém para completá-lo. Obviamente, ele nunca tomou a iniciativa. E a mulher, por causa do seu condicionamento de milhares de anos, é claro que não poderia tomar a iniciativa; isso depõe contra a elegância feminina, é "primitivo".

Não existe na verdade nenhuma razão para que a mulher espere que o homem tome a iniciativa. Se a mulher sente amor por alguém, ela deveria tomar a iniciativa e não se sentir humilhada se o homem não corresponder. Isso conferiria a eles igualdade. São pequenas coisas que tornariam possível a libertação das mulheres.

Mas a mulher está sempre tentando fazer "joguinhos". Ela atrai o homem, tenta de todas as maneiras atraí-lo com a sua beleza, com as roupas, com o perfume, com o penteado – usa tudo o que está ao seu alcance. Ela atrai o homem e, depois que consegue, então começa a fugir. Mas ela não corre rápido demais. Continua olhando para trás, para ver se ele a está seguindo ou não. Se ele fica para trás, ela espera. Quando ele se aproxima novamente, ela começa a correr.

Isso é estupidez; o amor tem de ser um jogo limpo. Você ama alguém, você expressa o seu amor e diz para a outra pessoa, "Você não é obrigada a dizer sim; seu não será respeitado. Isso é apenas o que eu quero. Você não precisa me dizer sim a contragosto, porque esse sim será perigoso se você não sentir amor por mim. Apenas se me amar a nossa vida se tornará completa".

Uma mulher e um homem que se amam podem entrar em meditação com muito mais facilidade. A meditação e o amor são fenômenos muito próximos; se você entrar em meditação, as suas energias de amor começam a transbordar. Se você realmente se apaixonar por alguém que ama você, as suas energias meditativas começam a aumentar. Trata-se de experiências muito próximas. Por isso eu sou a favor das duas.

Ouvi você falando do ego e de como a pessoa consciente pode ver que ele não existe. Mas eu percebo que nunca pus muita ênfase na consciência. Você pode me mostrar o caminho para ser mais consciente?

O amor é suficiente por si mesmo, se o seu amor não for o amor comum, biológico, instintivo. Se não for parte do seu ego, se não for um jogo de poder para dominar alguém – se o seu amor for apenas alegria pura, prazer de estar na companhia do outro por nenhuma razão especial, uma grande alegria – a consciência seguirá esse amor puro assim como uma sombra. Você não precisa se preocupar com a consciência.

Só existem dois caminhos: ou você fica consciente, e o amor o seguirá como uma sombra; ou você se torna tão amoroso que a consciência vem naturalmente. Eles são os dois lados da mesma moeda. Você não precisa se preocupar com o outro lado; preocupe-se apenas em segurar um lado, pois o outro não poderá escapar! O outro lado fatalmente virá.

E o caminho do amor é mais fácil, mais cor-de-rosa, inocente, simples.

O caminho da consciência é um pouco mais árduo. Para aqueles que não conseguem amar, eu sugiro o caminho da consciência. Existem pessoas que não conseguem amar – elas passaram a ter um coração de pedra. A criação, a cultura e a sociedade delas exterminaram a própria capacidade de amar, porque este mundo todo não funciona com base no amor, ele funciona com base na esperteza. Para se dar bem neste mundo, você não precisa de amor, precisa de um coração duro e uma mente arguta. Na realidade, você não precisa absolutamente ter coração.

Neste mundo, as pessoas de coração são esmagadas, exploradas, oprimidas. Esse mundo é comandado pelos mais espertos, mais sagazes, pelos que não têm coração e pelos cruéis. Por isso toda a sociedade é manipulada de tal modo que toda pessoa começa desde a infância a ficar sem coração, e a sua energia começa a se voltar para a mente. O coração é ignorado.

Eu ouvi uma antiga parábola do Tibete segundo a qual, no começo dos tempos, o coração costumava ser exatamente no meio do peito. Mas como ele era constantemente deixado de lado, fora do caminho, agora ele não fica mais no meio do peito. Agora o pobre camarada espera na beira da estrada – "Se algum dia você precisar de mim, estarei aqui" – mas ele não recebe carinho nem estímulo; em vez disso sofre todo tipo de condenação.

Se você faz alguma coisa e diz, "Fiz isso porque senti que devia fazer", todo mundo começa a rir: "Sentiu? Perdeu a cabeça? Me diga a razão, a lógica que o levou a fazer isso. Sentir não é razão para se fazer nada".

Mesmo que se apaixone, você precisa encontrar razões que o levaram a se apaixonar: porque a mulher tem um nariz bonito, tem um olhar profundo, tem um corpo proporcional. Mas essas não são razões. Você não levou todas essas razões em conta para depois chegar à conclusão de que valeria a pena se apaixonar por essa mulher: "apaixone-se por essa mulher – ela tem o nariz na medida exata, o tipo certo de cabelo, a cor certa, a proporção corporal exata. O que mais você quer?"

Mas ninguém se apaixona desse jeito. Você se apaixona. Depois, só para convencer os idiotas à sua volta de que não é um tolo, você calculou tudo e só depois deu o primeiro passo. Um passo sensato, racional, lógico.

Ninguém ouve o coração.

E a mente é tão tagarela, tão constantemente tagarela – nhé-nhé, nhé – que, mesmo que o coração às vezes diga algo, ele nunca consegue chegar até você. Não consegue. A balbúrdia na sua mente é tamanha que é impossível, absolutamente impossível para o coração. Pouco a pouco, o coração para de falar. Sem nunca ser ouvido, sendo repetidamente ignorado, ele emudece.

A mente dirige o espetáculo na sociedade; do contrário, viveríamos num mundo completamente diferente – mais amor, menos ódio, menos guerra, nenhuma possibilidade de armas nucleares. O coração nunca dará nenhum apoio para que nenhuma tecnologia destrutiva se desenvolva. O coração nunca estará a serviço da morte. Ele é vida: ele palpita por vida, pulsa por vida.

Por causa de todo o condicionamento da sociedade, o método de conscientização tem de ser escolhido, porque a consciência parece muito lógica e racional. Mas, se você consegue amar, não há necessidade de continuar num caminho longo e pedregoso desnecessariamente. O amor é o caminho mais curto, o mais natural – tão fácil que é possível até para uma criança pequena. Não requer treinamento. Você nasceu com potencial para amar, se não for corrompido pelos outros.

Mas o amor precisa ser puro. Não pode ser impuro.

Você ficará surpreso se souber que a palavra inglesa "love" deriva de uma raiz muito feia do sânscrito. Ela vem de *lobh*, que significa "ganância".

E no que diz respeito ao amor comum, ele é um tipo de ganância. É por isso que existem pessoas que amam dinheiro, que amam casas; existem pessoas que amam isso, que amam aquilo. Mesmo que amem um homem ou uma mulher, trata-se simplesmente de ganância; querem possuir tudo o que é belo. Trata-se de uma viagem do ego. Por essa razão, você vai encontrar amantes que brigam constantemente, brigam por coisas tão triviais que ambos ficam envergonhados ao pensar "nas coisas pelas quais continuam brigando!" Em seus momentos de silêncio, quando estão sozinhos, eles se perguntam, "Será que estou possuído por maus espíritos? Brigar por trivialidades, por coisas tão sem sentido!" Mas não é uma questão de brigar por trivialidades, é uma questão de saber quem tem poder, quem domina, quem fala mais alto.

O amor não pode existir nessas circunstâncias.

Eu ouvi uma história: na vida de um dos maiores imperadores da Índia, Akbar, ocorreu um pequeno episódio. Ele se interessava por todas as pessoas que tinham algum tipo de talento, e agregou em torno de si nove pessoas, de todas as regiões da Índia; os mais talentosos gênios, que ficaram conhecidos como "as nove joias da corte de Akbar".

Um dia, quando conversava com os seus vice-conselheiros, ele contou, "Na noite passada, discuti com a minha esposa. Ela insiste em dizer que todo marido pode ser dominado. Eu argumentei, mas ela disse, 'Conheço muitas famílias, mas nunca encontrei um marido que não fosse dominado'. O que vocês acham?", o imperador perguntou aos conselheiros.

Um deles, Birbal, disse, "Talvez ela esteja certa, porque o senhor não poderia provar o contrário. O senhor mesmo é um marido dominado pela esposa, caso contrário daria uma boa surra nela de vez em quando, para provar que o senhor é o marido e está no comando".

"Isso eu não posso fazer", contestou Akbar, "porque eu preciso viver com ela. É muito fácil aconselhar alguém a bater na esposa. Mas você bate na sua?"

Birbal respondeu, "Não, eu não bato. Simplesmente aceito que sou um marido dominado e que a sua esposa está certa".

Mas Akbar retrucou, "Mas, de qualquer maneira, isso precisa ser provado. É claro que na capital deve existir pelo menos um marido que não seja dominado pela esposa. Não existe regra, neste mundo, que não tenha exceção, e essa nem chega a ser uma regra científica". Ele disse a Birbal, "Pegue dois dos meus mais belos cavalos árabes" – um preto e um branco – "e dê uma volta pela capital. Se encontrar um homem que não seja dominado pela esposa, você pode dar a ele a oportunidade de escolher: pode ficar com o cavalo que quiser; é um presente meu". Os animais eram valiosos. Naqueles tempos os cavalos eram muito valiosos, e aqueles eram os mais belos cavalos do rei.

Birbal disse, "Não vai adiantar, mas se o senhor assim deseja, eu irei".

Ele foi, e todos os homens casados que encontrou eram dominados pela esposa. Era fácil ver! Birbal apenas chamava o casal na porta de casa e perguntava ao marido, "Você é dominado pela sua esposa ou não?"

O homem olhava para a esposa e dizia, "Você deveria perguntar quando eu estivesse sozinho. Isso não é justo, vai me criar problema desnecessariamente. Não vou destruir a minha vida só por causa de um cavalo. Leve os seus cavalos, não quero nenhum deles".

Mas então Birbal encontrou um homem que estava sentado em frente à porta de casa, com duas pessoas massageando-o. Tratava-se de um lutador campeão, um homem muito forte. Birbal pensou, "Talvez seja esse o homem – que poderia matar qualquer um, mesmo com as mãos nuas. Basta que ele o segure pelo pescoço para que o sujeito esteja acabado!" Birbal disse, "Posso lhe fazer uma pergunta?"

O homem ficou de pé e disse, "Pergunta? Que pergunta?"

Birbal perguntou, "Você é dominado pela sua esposa?"

O homem disse, "Primeiro, vamos nos cumprimentar com um aperto de mãos". Ele apertou a mão de Birbal até quase esmagá-la e disse, "Não largarei a sua mão até que os seus olhos se encham de lágrimas! Como ousa me fazer uma pergunta dessas?"

Birbal quase morreu de dor – ele próprio era um homem de aço, mas as lágrimas começaram a lhe correr dos olhos, e ele disse, "Me solte! Você não é dominado pela esposa! É evidente que não deveria ter feito essa pergunta. Mas onde está a sua esposa?"

O homem apontou numa direção e disse, "Olhe, lá está ela, preparando o meu café da manhã". Uma mulher franzina preparava a refeição.

A mulher era tão pequena e o homem, tão grande que era realmente possível que ele não fosse dominado pela esposa. Poderia matá-la! Então Birbal concluiu, "Não preciso mais levar adiante esta investigação. Você pode escolher um dos dois cavalos, o preto ou o branco, como recompensa do rei por não ser dominado pela sua esposa".

E bem nesse momento, a pequena mulher exclamou, "Não escolha o preto! Escolha o branco, se não farei da sua vida um inferno!"

O homem disse, "Não, não, eu ia escolher mesmo o branco. Você, fique quieta!"

E Birbal disse, "Você não vai escolher nem o preto nem o branco. Acabou, você perdeu o jogo. Até mesmo você é dominado pela esposa".

Existe uma luta contínua pela dominação. O amor não pode florescer nessa atmosfera. O homem está guerreando no mundo por causa de todo tipo de ambição. A mulher está lutando com o homem porque está com medo: ele fica fora de casa o dia todo. "Quem garante que não tenha um caso com outra mulher?" Ela é ciumenta, desconfiada; quer ter certeza de que esse homem está sob as suas rédeas. Então, em casa ele briga com a esposa e, fora de casa, briga com o mundo. Onde você acha que a flor do amor pode florescer?

A flor do amor só pode florescer quando não existe ego, quando não existe o esforço para dominar, quando a pessoa é humilde, quando não está tentando ser alguém, mas já é alguém. Então a consciência vem naturalmente, e esse é o jeito mais bonito, mais inocente: um caminho cheio de flores, um caminho que passa por lagos bonitos, rios, bosques, campinas.

Se você tem facilidade para ser sincero, esqueça tudo sobre a consciência; ela virá naturalmente. Cada etapa do amor traz consigo a sua própria consciência. Esse amor não é o mesmo que cair de amores por alguém; eu o chamo de elevar-se no amor.

? **Como uma mulher pode se apaixonar e ainda assim permanecer centrada em si mesma e preservar a própria individualidade?**

Essa pergunta tem muitas implicações.

Primeiro, você não entendeu o que significa estar centrado. Segundo, você também não viveu a experiência do amor. Posso dizer isso com absoluta autoridade, pois a sua pergunta fornece todas as evidências do que estou dizendo.

Amor e centramento são o mesmo fenômeno, não dois diferentes. Se você conheceu o amor, só pode estar centrada.

Amar significa estar de bem com a existência. Isso pode acontecer por meio de um amante, por meio de um amigo ou de maneira direta e imediata – por meio do nascer do sol, do pôr do sol. A própria experiência de amar deixará você centrada. Essa tem sido toda a filosofia dos devotos ao longo das eras. O amor é a ciência deles; o centramento é o resultado.

Mas existem pessoas – e só existem dois tipos de pessoas – que são dominadas pela lógica. O coração delas não se desenvolveu ainda. E existem pessoas cujo coração está florindo e a razão, a racionalidade só funcionam como servos do coração. A desgraça do homem é que ele está tentando fazer o impossível: está tentando forçar o coração a servir a mente, o que é impossível. Esse é o seu caos, a sua complicação.

Essa pergunta surgiu da experiência comum a que chamam de amor. Não se trata de amor, ela só é chamada de amor – é só um vislumbre, uma amostrinha, que não vai nutrir a pessoa. Pelo contrário, esse amor vai se tornar um estado patológico, porque num momento você está no ápice e tudo está simplesmente maravilhoso e no outro tudo está negro e nada parece ter sentido na sua vida. Todos esses momentos de amor parecem saídos de um sonho ou talvez sejam frutos da sua imaginação. E esses momentos sombrios andam de mãos dadas com os momentos mais belos.

Essa é a dialética da mente humana. Ela funciona por meio de opostos. Você amará um homem, mas por razões absolutamente equivocadas. Você amará o homem, ou a mulher, porque está carregando dentro de você uma imagem do outro. O menino se inspirará na mãe e a menina, no pai. Todos os amantes estão em busca da mãe e do pai – em última análise, todos estão em busca do útero e do seu estado belo e relaxado.

Do ponto de vista psicológico, a busca eterna pela *moksha*, a libertação suprema, a iluminação, pode ser reduzida ao fato psicológico básico de que o ser humano já conheceu o estado mais belo e pacífico que existe antes de nascer. Agora, se algo maior não acontecer na vida dele, uma exposição ao divino, ao universal, ele se sentirá infeliz, porque – inconscientemente – a todo instante haverá um julgamento.

Ele sabe que viveu durante nove meses e, lembre-se de que, para a criança que está no útero, nove meses são quase uma eternidade, porque ela não sabe contar, ela não tem relógio. Cada momento é completo em si mesmo. Ela não sabe que haverá outro em seguida, por isso cada momento é uma surpresa. E sem preocupações, sem nenhuma tensão com respeito à comida, roupas, abrigo, ela está absolutamente à vontade, relaxada, centrada. Não há nada que a distraia do centro.

Não há ninguém nem mesmo para dizer olá.

Essa experiência de nove meses de centramento, de imensa alegria, paz, solidão... o outro não está mais ali; o mundo se resume em você, você é o todo. Nada está faltando, tudo é suprido pela natureza, sem que seja necessário nenhum esforço da sua parte. Mas a vida confronta você de uma maneira totalmente diferente – antagonicamente, competitivamente. Todos são seus inimigos, porque todo mundo está competindo; todo mundo é seu inimigo porque todo mundo tem os mesmos desejos, a mesma ambição. Você está sujeito a entrar em conflito com milhões de pessoas.

É por causa desse antagonismo interior que todas as culturas do mundo criaram um certo sistema de etiqueta, de familiaridade, de formalidade, e enfatizam continuamente esse sistema para a criança: "Você tem que respeitar o seu pai". Todas as culturas do mundo inteiro, ao longo de toda a história, por que todas elas insistem que a criança tem que respeitar o pai? Existe a suspeita de que, se ela for deixada por si mesma, ela não vai respeitar o pai; isso é evidente, é pura lógica. Na verdade, a criança vai odiá-lo. Toda menina odeia a mãe.

Para esconder esse ódio – porque será muito difícil viver numa sociedade em que todas as feridas estão à mostra e todo mundo anda por aí com as feridas abertas –, um certo ethos, uma moralidade, um certo estilo de vida tem que encobri-las e mostrar justamente o oposto: que você ama a sua mãe, que você ama e respeita o seu pai. Lá no fundo acontece exatamente o oposto.

Você foi dividido em dois pela sociedade. A parte falsa é merecedora de todo respeito, porque o falso é criado pela sociedade. Ao real é negado qualquer respeito, porque o real vem da natureza, que está além do controle de qualquer sociedade, cultura ou civilização. Toda criança tem que ser treinada para mentir, tem que ser programada de modo a ser subserviente à sociedade, de modo a ser um dócil escravo.

Todas as sociedades quebram a espinha de todas as crianças, por isso elas ficam sem eixo, sem personalidade. Não podem erguer a voz, não podem questionar nada. A vida delas simplesmente não lhes pertence. Ela ama, mas o seu amor é falso. Desde o início, dizem que ela tem que amar a mãe, "porque ela é a sua mãe" – como se a condição de mãe tivesse alguma qualidade intrínseca ou implicasse na obrigação de ser amada pelo espírito. Mas existe a aceitação geral de que a mãe tem que ser amada.

A minha ênfase é que a mãe seja amorosa e que jamais se diga a nenhuma criança que ela tem que amar alguém, a não ser que esse amor brote naturalmente. Sim, a mãe, o pai, a família pode criar um ambiente sem dizer coisa alguma; toda a energia pode gerar, pode desencadear as suas forças interiores de amor.

Mas nunca diga a ninguém que o amor é um dever. Ele não é. O dever é um falso substituto do amor. Quando você não consegue amar, a sociedade o supre com deveres. Eles podem ter a aparência de amor, mas por dentro não existe amor nenhum; pelo contrário, só existe formalidade social. E você fica tão acostumado com as formalidades sociais que se esquece completamente de que existem coisas prestes a acontecer na sua vida, mas você está tão ocupado que não lhes dá espaço, não permite que o amor floresça dentro de você.

Por causa disso, você não sabe que centramento e amor são a mesma coisa.

O centramento atrai mais o intelectual. Não é preciso acreditar em nada; não há ninguém a quem você precise se render.

É por causa do outro que todo caso de amor termina em tragédia.

Na literatura indiana, não existem tragédias. Nos meus tempos de estudante, eu perguntava para os meus professores, "Por que não existem tragédias na literatura indiana?" E nem um único mestre ou professor foi capaz de me dar uma resposta convincente.

Eles simplesmente davam de ombros e diziam, "Você é estranho; faz cada pergunta! Estou nesta universidade há trinta anos e ninguém nunca me fez essa pergunta".

Eu dizia, "Para mim parece óbvio que a questão tem raízes profundas na cultura". Em todos os países, com exceção da Índia, existem tragédias – lindas histórias, romances, ficção – mas na Índia não existem. E isso porque a Índia é uma terra mais antiga que as outras. O povo aprendeu muitas coisas com a experiência, e uma delas é que não se deve falar do que não deveria existir; por isso não se fala em tragédias.

Essa lógica é compreensível. Se o ser humano sentir que a vida é sempre uma comédia, existe a possibilidade de que ele possa continuar enganando a si mesmo. Ele pode nunca contar a ninguém sobre os seus problemas, porque acha que ninguém tem problemas. Por que se expor ao ridículo? Se existe algo errado com você, não comente a respeito. Para que se expor a uma sociedade cruel que simplesmente rirá de você e provará que você é um idiota e não sabe viver?

Mas a coisa não é tão simples. Não se trata apenas de saber viver. É uma questão de, primeiro, deixar de lado tudo o que é falso em você. O falso vem de fora. E quando tudo o que é falso é deixado de lado e você fica absolutamente nu diante da existência, o real começará a crescer em você. Essa é uma situação que precisa ser fomentada para que o real cresça, floresça, e lhe traga o significado supremo e a verdade da vida.

É preciso lembrar: você pode começar se centrando – no momento em que se centra você percebe subitamente que um amor imenso está fluindo – ou pode começar amando. E no momento em que o seu amor não tiver ciúme, não tiver condicionamentos, mas for apenas o compartilhar da dança do coração, você viverá o centramento.

São os dois lados da mesma moeda. O centramento é um método mais intelectual, mais científico. O amor tem uma fonte diferente dentro de você – o seu coração. Ele é mais poético, mais estético, mais sensível, mais feminino, mais bonito. E é mais fácil do que se centrar.

A minha sugestão é: primeiro livre-se de todas as ideias falsas sobre o amor. Deixe que alguma coisa real cresça dentro de você e o centramento estará a caminho, a iluminação estará a caminho. Mas, se você achar muito difícil começar pelo amor, não se desespere. Você pode avançar por meio do centramento. Pode chamá-lo de meditação, pode chamá-lo de consciência. Mas em cada caso, o resultado final é o mesmo: você estará centrado e transbordante de amor.

"O AMOR FERE" E OUTROS MAL-ENTENDIDOS

O amor nunca fere ninguém. E, se você está se sentindo ferido pelo amor, é sinal de que existe outra coisa em você, que não é o amor, que está provocando essa dor. A menos que veja isso, você vai continuar se movendo em círculos. O que você chama de amor pode ocultar muitas coisas nada amorosas em você; a mente humana é muito astuta, muito sagaz, quando se trata de enganar os outros e também a si mesma. A mente coloca rótulos bonitos em coisas feias, tenta cobrir as feridas com flores. Essa é uma das primeiras coisas que você tem que investigar, se quer entender o que é o amor.

O "amor", no sentido que as pessoas costumam usar essa palavra, não é amor; é luxúria. E a luxúria sempre acaba ferindo, porque desejar alguém como um objeto é o mesmo que ofender essa pessoa. É um insulto, é uma violência. Quando você se aproxima de alguém com luxúria, quanto tempo consegue fingir que isso é amor? Algo que é superficial vai parecer amor, mas basta arranhar um pouquinho a superfície para encontrar pura luxúria. A luxúria é animalesca. Olhar para alguém com luxúria é um insulto, é humilhante, é reduzir a outra pessoa a uma coisa, a uma mercadoria. Nenhuma pessoa gosta de ser usada; essa é a pior coisa que você pode fazer com alguém. Ninguém é uma mercadoria, ninguém é um meio pelo qual se conseguir alguma coisa.

Essa é a diferença entre luxúria e amor. A luxúria usa a outra pessoa para você satisfazer alguns dos seus desejos. O outro é apenas usado e, quando ele deixa de ter utilidade, é descartado. Ele se torna inútil; a sua função foi preenchida. Esse é o ato mais imoral da existência: usar o outro para se conseguir alguma coisa.

O amor é justamente o oposto: respeitar o outro como um fim em si mesmo. Quando você ama alguém como um fim em si mesmo, não existe essa sensação de dor; você se enriquece por meio desse sentimento. O amor torna todo mundo rico.

Em segundo lugar, o amor só pode ser verdadeiro se não houver um ego por trás dele; do contrário, o amor se torna uma viagem do ego. Tratase de um jeito sutil de dominar. E a pessoa precisa estar muito consciente, porque esse desejo de dominar está enraizado lá no fundo. Ele nunca aparece como é; vem sempre enfeitado, bem-ornamentado.

Os pais nunca dizem que os filhos pertencem a eles, nunca dizem que querem dominar os filhos, mas isso é na verdade o que eles fazem. Dizem que querem ajudar, dizem que querem que eles sejam inteligentes, saudáveis, felizes, mas – e esse "mas" é um grande "mas" – tudo isso de acordo com a ideia que fazem do que seja inteligente, saudável e feliz. Até a felicidade dos filhos tem que ser decidida de acordo com a ideia dos pais; os filhos têm que ser felizes de acordo com as expectativas dos pais.

Os filhos têm que ser inteligentes, mas ao mesmo tempo obedientes. Isso é pedir o impossível! A pessoa inteligente não pode ser obediente; a pessoa obediente tem que abrir mão de parte da sua inteligência. A inteligência só pode dizer "sim" quando está plenamente de acordo com você. Não pode dizer "sim" só porque você é maior, mais poderoso e cheio de autoridade – um pai, uma mãe, um padre, um político. Eu não posso dizer "sim" só por causa da autoridade que você tem. A inteligência é rebelde, e nenhum pai quer que o filho seja rebelde. A rebelião vai de encontro ao seu desejo secreto de dominação.

Os maridos dizem que amam a esposa, mas isso não passa de dominação. Eles são tão ciumentos, tão possessivos! Como podem ser amorosos? As mulheres vivem dizendo que amam o marido, mas passam 24 horas por dia fazendo da vida dele um inferno; de todas as maneiras possíveis, elas estão reduzindo o marido a uma coisa feia. O marido dominado é um fenômeno muito feio. E o problema é que, primeiro, a esposa reduz o marido a um escravo e depois perde o interesse por ele; afinal, por que ela continuaria interessada por um homem dominado? Ele não parece alguém digno; não parece um homem de verdade.

Primeiro o marido tenta fazer da mulher apenas um objeto que lhe pertence e, depois que ela lhe pertence, ele perde o interesse. Existe uma lógica oculta nisso: o único interesse dele era possuí-la; agora já a possui e ele gostaria de tentar fazer o mesmo com outra mulher, para que possa continuar indefinidamente com esse jogo de possessão.

Cuidado com essas elucubrações do ego. Depois você se machuca, pois a pessoa que você está tentando possuir fatalmente se revoltará de um modo ou de outro, acabará sabotando os seus truques, as suas estratégias, porque não existe nada que as pessoas amem mais do que a liberdade. Até mesmo o amor vem depois da liberdade; a liberdade é o mais elevado bem. O amor pode ser sacrificado pela liberdade, mas a liberdade não pode ser sacrificada pelo amor. E isso é o que temos feito há séculos, sacrificar a liberdade pelo amor. Existe, portanto, um antagonismo, um conflito, e o casal aproveita qualquer oportunidade para ferir um ao outro.

O amor na sua forma mais pura é alegria compartilhada. Ele não pede nada em troca, não espera nada; então como você pode achar que ele machuca? Se você não tem expectativas, como pode se machucar? Porque tudo o que vier será bom e, se nada vier, será bom também. A sua alegria foi dar, não receber. Desse modo você pode até amar a uma distancia de milhares de quilômetros, não precisará nem mesmo estar fisicamente presente.

O amor é um fenômeno espiritual; a luxúria é física. O ego é psicológico; o amor é espiritual. Você terá de aprender o próprio bê-á-bá do amor. Terá que começar do comecinho, da estaca zero; do contrário, só se machucará. E lembre-se, só você pode se ajudar; ninguém é responsável.

Como alguém pode ajudar você? Ninguém pode destruir o seu ego. Se você se agarra a ele, ninguém pode destruí-lo; se você investe nele, ninguém pode destruí-lo. Eu só posso dividir com você o que sei. Os iluminados só podem mostrar o caminho; depois você tem que ir, tem que segui-lo. Ninguém pode levá-lo, segurar na sua mão.

É isso o que você gostaria: fazer de conta que é dependente. E lembre-se, a pessoa que faz de conta que é dependente um dia se vingará. Logo ela vai querer que o outro dependa dela. Se a esposa depende financeiramente do marido, então ela tentará que o marido dependa dela para outras coisas. Trata-se de um arranjo mútuo. Ambos estão mutilados, ambos estão paralisados; um não pode viver sem o outro. Até a ideia de que o marido era feliz sem a esposa, de que ele ria no clube com os amigos a machuca. Ela não está interessada na felicidade dele; na verdade ela não acredita: "Como ele ousava ser feliz sem mim? Ele tem que depender de mim!"

O marido não gosta quando vê a esposa rindo com outra pessoa, feliz, alegre. Ele quer que toda a alegria dela lhe pertença; seja propriedade dele. A pessoa dependente fará de você uma pessoa dependente também.

O medo nunca é amor e o amor nunca é medo. Você não perde nada por amar. Por que ter medo do amor? O amor apenas dá. Ele não é uma transação comercial, por isso não é uma questão de perder ou ganhar. O amor gosta de dar, assim como as flores gostam de exalar perfume. Por que elas deveriam ter medo? Por que você deveria ter medo?

Lembre-se, o medo e o amor nunca existem juntos; não podem. Não é possível a coexistência. O medo é justamente o oposto do amor.

As pessoas costumam achar que o ódio é o oposto do amor. Isso é um equívoco, um total equívoco. O medo é o oposto do amor. O ódio é o amor ao contrário. É o contrário, mas não é o oposto. A pessoa que odeia simplesmente mostra que, de algum modo, ela ainda ama. O amor se tornou amargo, mas ainda existe. O medo é o verdadeiro oposto, pois ele significa que toda a energia do amor desapareceu.

O amor é se aproximar do outro sem medo, com uma enorme confiança de que será recebido – e ele sempre é. O medo se encolhe dentro de você, fecha o seu ser, fecha todas as portas, todas as janelas para que o sol, o vento, a chuva não possam atingi-lo, tamanho o seu pavor. Você está se enterrando vivo.

O medo é uma sepultura, o amor é um templo. No amor, a vida chega ao seu apogeu. No medo, a vida resvala para o nível da morte. O medo fede, o amor é perfumado. Por que você deveria ter receio?

Tenha receio do seu ego, tenha receio da sua luxúria, tenha receio da sua ganância, tenha receio da sua possessividade, tenha receio do seu ciúme – mas não há por que ter receio do amor. O amor é divino! É como a luz. Quando existe luz, não existe escuridão. Quando existe amor, não existe medo.

O amor pode fazer da sua vida uma grande celebração, mas só o amor pode fazer isso – não a luxúria, não o ego, não a possessividade, não o ciúme, não a dependência.

Eu acho que entendo o que quer dizer quando afirma que não é o amor que fere. No entanto, o tipo de amor de que está falando não é fácil de encontrar. Por isso o processo de aprendizado e de crescimento rumo a um amor mais maduro é muitas vezes extremamente doloroso. A dor é simplesmente uma parte inevitável do crescimento?

O crescimento é doloroso porque você tem evitado muitas dores na sua vida. Evitando-as você não as destrói; elas vão se acumulando. Você continua engolindo as suas dores e elas permanecem no seu organismo. É por isso que o crescimento é doloroso; quando começa a crescer, quando decide crescer, você tem que encarar todas as dores que reprimiu. Não pode simplesmente contorná-las.

Você foi criado da maneira errada. Infelizmente, até hoje, nunca existiu uma sociedade neste planeta que não tenha reprimido a dor. Todas as sociedades dependem da repressão. Elas reprimem duas coisas: uma é a dor, a outra é o prazer. E reprimem o prazer também por causa da dor. O raciocínio delas é que, se você não for muito feliz, nunca se sentirá muito infeliz; se uma grande alegria for destruída você nunca viverá numa dor profunda. Para evitar a dor, elas evitam o prazer. Para evitar a morte, elas evitam a vida.

E essa lógica tem uma razão de ser. As duas coisas crescem juntas; se quer ter uma vida de êxtase, você tem que aceitar muitas agonias. Se quer os picos do Himalaia, você tem que ter também os vales. Mas não há nada de errado com os vales; o modo de você encará-los é que precisa mudar. Você pode gostar de ambos – os picos são maravilhosos, mas os vales também. E existem momentos em que a pessoa precisa apreciar os picos e há outros em que ela precisa relaxar nos vales.

Os picos são banhados de sol, há um diálogo com o céu. Os vales são sombrios, mas sempre que quer relaxar você precisa ir para a escuridão dos vales. Se quer chegar aos picos, você precisa lançar raízes no vale; quanto mais profundas elas forem, mais altas serão as árvores. A árvore não pode crescer sem raízes e estas precisam se infiltrar profundamente no solo.

A dor e o prazer são partes intrínsecas da vida. As pessoas têm tanto medo da dor que elas a reprimem, evitam qualquer situação que lhes traga dor; vivem esquivando-se dela. E acabam chegando à conclusão de que, se querem evitar a dor elas têm de evitar o prazer também. É por isso que os seus monges evitam o prazer – eles têm medo dele. Na verdade, estão simplesmente evitando todas as possibilidades de dor. Eles sabem que, se evitarem o prazer, farão que seja naturalmente impossível ter uma grande dor; a dor é só uma sombra do prazer. Então você caminha pelas planícies; nunca escala os picos e nunca mergulha nos vales. Mas a partir daí você passa a fazer parte dos mortos-vivos, você não está mais vivo.

A vida existe entre essa polaridade. Essa tensão entre dor e prazer o torna capaz de compor uma grande música; a música só existe nessa tensão.

Destrua a polaridade e você ficará embotado, envelhecido, desinteressante. Você não verá nenhum significado na vida nem conhecerá o seu esplendor. Deixará que ela passe em branco. A pessoa que quer conhecer a vida e vivê-la precisa aceitar e abraçar a morte. Elas vêm juntas, são os dois aspectos de um único fenômeno.

É por isso que o crescimento é doloroso. Você precisa olhar de frente todas essas dores que sempre evitou. Isso dói. Você precisa enfrentar todas essas feridas que, de algum modo, conseguiu ignorar. Mas quanto mais fundo mergulhar nas suas dores, maior será a sua capacidade de mergulhar no prazer. Se você conseguir chegar ao limite da dor, será capaz de tocar o céu.

Ouvi falar que um buscador procurou um mestre zen e perguntou, "Como posso evitar o calor e o frio?"

Do ponto de vista metafórico, ele estava perguntando, "Como posso evitar o prazer e a dor?" Esse é o modo zen de se falar em prazer e dor: "calor e frio".

"Como posso evitar o calor e o frio?"

O mestre respondeu, "Fique quente e fique frio".

Para se livrar da dor, é preciso aceitá-la, inevitável e naturalmente. Dor é dor – um fato simples e doloroso. O *sofrimento*, porém, é apenas e sempre a recusa da dor, a reclamação de que a vida não deveria ser dolorosa. Trata-se de uma rejeição de um fato, a negação da vida e da natureza das coisas. A morte é a mente que se preocupa com o morrer. Se não há medo da morte, quem está ali para morrer?

O homem é a única criatura com conhecimento da morte e da sua risada. O milagre é que por isso ele pode até fazer da morte algo novo: pode morrer dando risada! E, se você pode morrer dando risada, só assim dará uma prova de que deve viver dando risada. A morte é a afirmação final de toda a sua vida – a conclusão, o comentário final. O modo como viveu se revelará por meio da sua morte, pelo modo como você morrer.

Você consegue morrer dando risada? Então é porque é uma pessoa adulta. Se morrer chorando, soluçando, se agarrando à vida, então você é uma criança. Você não cresceu, é imaturo. Se morrer chorando, soluçando, se apegando à vida, isso simplesmente mostra que você está evitando a morte e evitou a vida também, com todas as suas dores.

Crescer é enfrentar a realidade, encarar o fato, seja ele qual for. E deixe-me repetir: dor é simplesmente dor; não existe sofrimento nela. O sofrimento vem da ideia de que a dor não deveria estar ali, de que existe algo errado com ela. Observe, testemunhe e você ficará surpreso. Você tem uma dor de cabeça: há dor, mas não há sofrimento. O sofrimento é um fenômeno secundário, a dor é primária. A dor de cabeça existe, a dor existe; é simplesmente um fato. Não existe julgamento com relação a isso. Você não diz que ela é boa ou ruim, não lhe atribui nenhum valor; ela é apenas um fato.

A rosa é um fato, assim como o espinho. O dia é um fato, assim como a noite. A cabeça é um fato, assim como a dor de cabeça. Você simplesmente repara nela.

Buda ensinou os discípulos que, na ocasião em que tivessem dor de cabeça, dissessem duas vezes: "Dor de cabeça, dor de cabeça". Repare, mas não avalie, não diga, "Por quê? Por que estou com dor de cabeça? Não deveria estar". No momento em que você disser, "Não deveria", você atrai o sofrimento. Agora o sofrimento foi criado por você, não pela dor de cabeça. O sofrimento é a sua interpretação antagônica, é a sua negação de um fato.

E no momento em que diz, "Não deveria estar", você começou a evitá-la, começou a dar as costas para ela. Você gostaria de se ocupar com outra coisa para esquecê-la. Você liga o rádio ou a televisão, ou vai ao clube ou pega um livro. Você se distrai, pensa em outra coisa. Agora essa dor não será mais testemunhada; você simplesmente desvia a atenção. Essa dor será absorvida pelo seu organismo.

Deixe que esta explicação seja entendida profundamente: se você consegue testemunhar a dor de cabeça sem tomar nenhuma atitude antagônica, sem evitá-la, sem fugir dela; se conseguir ficar simplesmente presente, meditativo – "Dor de cabeça, dor de cabeça" – se conseguir simplesmente olhá-la, a dor de cabeça passará naturalmente. Não estou dizendo que ela desaparecerá como que por encanto, que basta você olhá-la para que ela se vá. Ela passará com o tempo. Mas não será absorvida pelo seu organismo.

Não envenenará o seu organismo. Ela estará ali, você reparará nela, e ela irá embora. Aliviará aos poucos.

Quando você testemunha algo em si mesmo, isso não consegue invadir o seu organismo. Só invade quando você evita, quando você foge. Quando está ausente a coisa entra no seu organismo. Só quando está ausente, a dor pode se tornar parte do seu ser – se você está presente, a sua própria presença evita que ela se torne parte do seu ser.

E se você continuar a reparar nas suas dores, elas não se acumularão. Não lhe ensinaram o jeito certo, por isso você continua evitando. Aí você acumula tanta dor que fica com medo de encará-la, de aceitá-la. O crescimento se torna doloroso, por causa do condicionamento errado. Pelo contrário, o crescimento não é doloroso, ele é extremamente prazeroso.

Você acha que, quando a árvore cresce e fica maior, existe dor? Não existe. Até mesmo quando uma criança nasce, se a mãe aceitar a dor, não haverá dor. Mas a mãe a rejeita; ela tem medo. Ela fica tensa, tenta manter a criança dentro da barriga, o que não é possível. A criança está pronta para vir ao mundo, está pronta para deixar a mãe. Ela está madura, o útero não pode mais contê-la. Se ela ficar tempo demais no útero, a mãe morrerá e a criança também. Mas a mãe tem medo. Ela ouviu dizer que dar à luz é muito doloroso – as dores do parto – ela tem medo. E por causa desse medo, ela fica tensa e fechada.

Para outras mulheres – e nas sociedades primitivas essas pessoas ainda existem –, o nascimento é muito simples e indolor. Pelo contrário, você se surpreenderá ao saber que o grande êxtase acontece quando a mulher dá à luz – nada de dor, nada de agonia, apenas o maior dos êxtases. Nenhum orgasmo sexual é tão satisfatório e prazeroso quanto o orgasmo que acontece quando a mulher dá à luz uma criança naturalmente. Todo o mecanismo sexual da mulher pulsa como nunca pulsou durante o ato de fazer amor. A criança está vindo das suas entranhas. Nenhum homem pode jamais penetrá-la tão profundamente. E a pulsação vem de dentro. Ela é necessária, vem como ondas, grandes ondas de prazer. Isso basta para ajudar a criança a sair do útero, para abrir a passagem para a criança. Por isso há essa grande pulsação e todo o ser sexual da mulher sente uma tremenda alegria.

Mas o que aconteceu à humanidade é justamente o contrário: a mulher passou a sentir a maior agonia da sua vida. E isso é uma criação da mente, uma educação errada. O nascimento físico pode ser natural se você aceitá-lo, e pode-se dizer o mesmo com relação ao seu nascimento como ser amoroso. Crescimento significa que você está nascendo todos os dias. O nascimento não acaba no dia em que você veio ao mundo; nesse dia ele simplesmente começa, é só um início. No dia em que você deixou o útero da sua mãe, você não nasceu, você simplesmente *começou* a nascer; foi só o começo. E a pessoa continua nascendo até morrer. Ela não nasce num momento estanque do tempo. O seu processo de nascimento continua por setenta, oitenta anos, enquanto você viver. Ele é um continuum.

E todos os dias você sentirá prazer, enquanto crescem novas folhas, uma nova folhagem, novas flores, novos galhos, que ficam cada vez mais altos, até alcançar novas altitudes. Você estará se tornando mais profundo e mais elevado; estará atingindo picos. O crescimento não será doloroso.

Mas o crescimento é doloroso – por sua causa, do seu condicionamento errado. Ensinaram você a não crescer, a permanecer estático, a se apegar ao familiar e ao conhecido. É por isso que você começa a gritar cada vez que o conhecido desaparece das suas mãos. Um brinquedo que se quebra, uma chupeta que lhe é tirada.

Lembre-se, só uma coisa vai ajudá-lo, e é a consciência – nada mais. O crescimento continuará doloroso se você não aceitar a vida e o amor em todos os seus altos e baixos. O verão tem que ser aceito e o inverno também.

Isso é o que eu chamo de meditação. Meditação é quando você é esvaziado de tudo o que é velho, que foi dito e foi feito com respeito à morte. Aí você vê. Ou melhor, o *ver* passa a existir, é o nascimento do novo. Mas você terá que passar por muitas dores, muitas agonias. Porque você viveu numa certa sociedade, numa certa cultura – hindu, muçulmana, cristã, indiana, alemã, japonesa. Essas são maneiras diferentes de evitar a dor, nada mais do que isso. Você faz parte de uma cultura, por isso o crescimento é doloroso, porque a cultura tenta fazer você não crescer; ela quer que você se mantenha juvenil. Ela não deixa que você se desenvolva do ponto de vista psicológico, como se desenvolve do ponto de vista fisiológico.

Na I Guerra Mundial, e novamente na II Guerra, os psicólogos se deram conta de um fato muito estranho: do ponto de vista mental, a idade média do ser humano nunca ultrapassa os 12 ou 13 anos. Mesmo que a pessoa tenha 70 anos, a sua idade mental é algo em torno de 10 a 13 anos. O que isso significa? Significa simplesmente que ele para de crescer aos 10 anos; o corpo continua crescendo, mas a mente para. Nenhuma sociedade permite que as mentes cheguem à idade adulta. Por quê? Porque mentes adultas são perigosas para a estrutura social; elas são rebeldes. São perigosas para a estrutura social porque serão capazes de ver todo tipo de estupidez que se faz em nome da cultura, da sociedade, da nação.

Agora veja: a Terra é uma só, e o ser humano ainda continua dividido. Todos os problemas da humanidade podem ser resolvidos se não houver mais nações. Não existe problema, na verdade não existe nenhum; o problema básico é criado pelas fronteiras das nações. A tecnologia que existe hoje é capaz de alimentar toda a população mundial, ninguém precisa passar fome. Mas isso não é possível, porque essas fronteiras não permitirão.

Uma pessoa adulta será capaz de ver todo esse absurdo, uma pessoa madura será capaz de ver tintim por tintim. Uma pessoa adulta não pode ser reduzida à condição de escrava.

Tome posse do seu ser. Enfrente as suas dores e deixe para trás todo tipo de servidão, porque só livre das servidões você será capaz de cantar a sua canção e dançar a sua dança.

Na primavera, centenas de flores; no outono, a lua da colheita.
No verão, uma brisa refrescante; no inverno, neve.
Se coisas inúteis não ocuparem a sua mente,
Qualquer estação é boa.

É um ditado zen, "*Se coisas inúteis não ocuparem a sua mente...*" O crescimento é doloroso porque você está carregando muitas coisas inúteis na mente. Você já devia ter se livrado delas há muito tempo. Mas foi ensinado a não jogar nada fora, só foi ensinado a se agarrar a tudo – o que é importante e o que não é. Por estar carregando tanta coisa, o crescimento é difícil. Do contrário ele seria suave, como um botão se abrindo em flor.

?

A minha namorada me disse que sou um pouco chato, muito dependente e vitimista. Isso fez com que eu me sentisse culpado, deprimido e absolutamente sem valor. Comecei a sentir dentro de mim um grande "não": contra a existência, a vida, o amor. Ao mesmo tempo observava dentro de mim essa energia destrutiva e sentia que de algum modo ela me dava prazer! É possível usar essa energia de maneira criativa?

A sua pergunta é um exemplo das conclusões idiotas a que chega a mente. Talvez você não a tenha analisado a fundo e visto as suas contradições. Eu gostaria de investigar a própria psicologia de perguntas como essa. Elas não estão somente dentro de você, estão dentro de muitas pessoas. Você teve coragem de se expor.

A pergunta começa, "A minha namorada me disse que sou um pouco chato". A sua namorada tem muita compaixão, porque todo homem acaba ficando *muito* chato, não "um pouco" chato. Você percebe o fato de que o que você chama de amor é uma repetição? A mesma ginástica idiota várias e várias vezes? E nesse joguinho idiota quem sai perdendo é o homem. Ele está dissipando a sua energia, transpirando, soprando, bufando e a garota fica de olhos fechados, pensando, "Mais uns dois ou três minutos e esse pesadelo vai acabar".

As pessoas são muito pouco imaginativas, elas acham que fazer a mesma coisa todo dia vai torná-las mais interessantes. É por isso que eu digo que a sua namorada tem muita compaixão; ela só disse que você é um *pouco* chato. Eu lhe digo que você é insuportavelmente chato.

Quando os missionários cristãos chegaram ao Oriente, os orientais descobriram que eles só conheciam uma posição para fazer amor: a mulher por baixo e aquelas bestas horrorosas sobre o seu delicado corpo. Foi daí que surgiu o nome "posição de missionário".

A Índia é uma terra antiga e o local de nascimento de muitas ciências, particularmente a sexologia. Um livro extremamente importante, de Vatsyayana, já existe há cinco mil anos. O nome do livro é *Kama Sutra*, que dá sugestões de como fazer amor. E foi escrito por um homem que meditava profundamente – ele criou 84 posições para se fazer amor. É natural que seja preciso mudar de posição; do contrário a coisa vai ficar meio chata. Vatsyayana percebeu o fato de que a mesma posição todo dia causa tédio, um sentimento de completa estupidez, porque você está fazendo sempre a mesma coisa. Ele inventou 84 posturas para tornar a vida amorosa dos casais mais interessante. Ninguém em todo mundo jamais escreveu um livro do calibre do *Kama Sutra*. Mas ele só poderia ser de autoria de um homem de imensa lucidez, num profundo estado meditativo.

O que é fazer amor? Se você observar, vai ver que é tudo muito chato. E principalmente para as mulheres, é mais chato ainda, porque o homem termina em dois ou três minutos e a mulher nem começou ainda. E no mundo todo incutiu-se na cabeça das mulheres que elas não devem esperar ter prazer, se mexer ou brincar um pouco – isso é considerado "sujo"; só prostitutas fazem isso, não as damas. As damas têm que ficar ali deitadas como se estivessem mortas e deixar que o sujeito faça o que quiser. Por isso não há nada de novo, não há nada de novo nem mesmo para olhar.

Você não deveria considerar isso uma ofensa pessoal. A sua namorada está lhe dizendo algo com toda a sinceridade. Você já lhe deu o prazer de um orgasmo? Ou só a usou para descarregar a sua energia sexual? Você a reduziu a um simples objeto? Ela foi condicionada a aceitar essa situação, mas essa mera "aceitação" não pode ser prazerosa.

Vocês fazem amor na mesma cama em que brigam todos os dias. Na verdade, a briga é o prefácio; atirar travesseiros, gritar um com o outro, discutir sobre tudo e, depois, quando se sentem cansados, é preciso que façam uma negociação. O seu amor não passa de uma negociação. Se você é um homem com sensibilidade estética, a sua alcova deve ser um lugar sagrado, porque é também ali que a vida nasce. Ela deve ter lindas flores, incenso, fragrância; você deve entrar ali com um profundo respeito.

E o amor não pode ser simplesmente uma coisa abrupta, em que você só arrebata a mulher. Esse amor às pressas não é amor. O amor precisa de um prefácio de bela música, de uma dança a dois, de meditação a dois. E também não pode ser uma coisa mental, em que você fique o tempo todo pensando em como vai levá-la para a cama e depois vá dormir. É preciso que seja um envolvimento mais profundo de todo o seu ser, que não seja projetado pela mente, mas venha espontaneamente. Uma música bonita, fragrância, vocês dançando de mãos dadas, duas pessoas que voltam a ser crianças brincando com flores. Se o amor acontece espontaneamente nessa atmosfera sagrada, ele terá uma qualidade diferente.

Você precisa entender que a mulher é capaz de ter orgasmos múltiplos, porque ela não perde energia. O homem só pode ter um orgasmo, e ele perde energia, parece deprimido. Mesmo na manhã seguinte você pode ver a sua ressaca, e à medida que fica mais velho isso vai se tornando cada vez mais difícil. Essa diferença precisa ser entendida. A mulher está do lado receptivo – ela tem que estar, porque no plano da natureza espera-se que ela se torne mãe, então precisa de mais energia. Mas o orgasmo feminino acontece de um jeito totalmente diferente. A sexualidade do homem é localizada, como a anestesia local. O corpo da mulher é todo sexual, e a menos que o corpo todo comece a estremecer de prazer, cada célula do corpo participe, ela não consegue sentir a explosão do orgasmo.

Portanto, não é apenas no seu caso que o homem é chato, é no caso de quase 99% das mulheres de todo o mundo. Toda essa situação precisa mudar. A mulher não deve ficar sob o homem. Em primeiro lugar, isso é feio – o homem tem o corpo mais forte, a mulher é mais frágil. Ela deveria ficar sobre o homem, não embaixo dele.

Segundo, o homem deveria ficar em silêncio, inativo, para que o seu orgasmo não acontecesse em dois minutos. Se você fica em silêncio e deixa que a mulher enlouqueça sobre você, isso lhe proporciona um bom exercício e a leva a uma explosão da energia orgástica. Leva tempo até que todo o corpo dela se excite, e se você for ativo demais não dará tempo. Vocês se satisfazem, mas não será um encontro de amor, cheio de beleza, só algo funcional.

Tente fazer com a sua namorada o que estou dizendo. Seja o parceiro passivo e deixe que ela assuma o papel ativo. Deixe que ela se desiniba. Ela não tem que se comportar como uma dama, tem que se comportar como uma mulher autêntica. A "dama" é simplesmente uma criação do homem; a mulher é uma criação da existência. E você tem que preencher a lacuna entre os orgasmos dela. Essa lacuna só pode ser preenchida de uma maneira: você assumindo o papel passivo, ficando em silêncio, e deixando que ela enlouqueça. E ela terá orgasmos múltiplos. Você pode terminar o jogo com o seu orgasmo, mas não deve iniciá-lo com ele.

E a sua namorada não vai mais acusá-lo de ser um pouco chato. Você se tornará realmente um cara interessante, maravilhoso, que se comporta como uma perfeita dama! E fique de olhos fechados para que ela não se sinta inibida. Ela pode fazer o que quiser – mexer a cabeça, o corpo, gemer, suspirar, gritar. Você não pode se manifestar, deve simplesmente permanecer em silêncio. E assim ela ficará louca por você! Atualmente você deve estar se comportando de maneira estúpida, como a maioria dos homens do mundo todo.

A sua namorada está lhe dando um bom conselho, e na sua estupidez você está pensando que ela o está condenando. Quando ela diz que você é "dependente e vitimista", eu posso ver até por meio da sua pergunta que ela está certa. Você é uma vítima, assim como todos os seres humanos são – uma vítima de ideologias estúpidas, que deram origem a estranhos sentimentos de culpa e não deixam que você seja espirituoso. Embora possa estar fazendo amor, você acha que está cometendo um pecado e que o inferno está próximo.

Enquanto faz amor, faça desse ato um processo meditativo. A sua presença precisa estar ali inteira, derramando sobre a mulher o seu amor. A mulher tem que estar ali, derramando toda a sua beleza e graça sobre o amante. Assim você não será uma vítima, do contrário é, porque o amor não é aceito pelas suas religiões idiotas como uma experiência natural e divertida. Elas a condenam. Algumas delas impõem a condição de que, a menos que você deixe a mulher, nunca chegará à verdade. E o condicionamento já dura tanto tempo que se tornou quase uma verdade, embora seja a mais absoluta mentira.

Você é vítima das tradições e certamente é uma pessoa dependente. Quando analisar a sua pergunta, verá como é dependente, dependente de uma namorada que lhe diz que você é chato, não muito interessante, e uma vítima.

A sua dependência mostra ainda mais: "Isso fez com que eu me sentisse culpado, deprimido e absolutamente sem valor". Se a sua namorada, dizendo simples verdades como essas, consegue fazê-lo se sentir culpado, deprimido e absolutamente sem valor, com certeza parece que ela é o seu mestre. "Comecei a sentir dentro de mim um grande 'não'." E é aí que a sua garota tem sido gentil, não lhe dizendo "Você é um pouquinho idiota também".

Você está dizendo "Comecei a sentir dentro de mim um grande 'não' contra a existência". Ora, o que a existência fez – "contra a vida, contra o amor"? Isso mostra que você é um completo idiota. Em vez de ouvir a sua namorada, que está dizendo com sinceridade que você é chato, mas só um pouco, você deveria ter perguntado a ela, "Como eu posso ficar um pouco mais interessante? Você tem alguma sugestão?" Essa seria uma atitude inteligente.

Mas, em vez de perguntar à garota, você começou a sentir "um grande 'não' contra a existência, a vida, o amor". Mas eu entendo a razão. Talvez você não consiga explicar, mas eu posso ver a razão subjacente para esse grande "não". Você acredita demais na sua namorada. Naturalmente, não poderia perguntar a ela; isso mostraria a sua dependência. Você deve ter receio de falar muito sobre essas coisas com ela, porque as namoradas não são esposas permanentes; não há uma lei que as impeça de procurar outra pessoa mais interessante. E todo mundo, no início, parece interessante, embora baste alguns dias juntos para acabar com todo o interesse. Você começa a olhar em volta, para outras mulheres, para outros homens, porque todos parecem mais interessantes.

Você repetirá a mesma coisa vida após vida; você já fez isso antes, sem entender a razão. Fique com um homem por mais de uma semana e você vai começar a pensar em como se livrar dele. E ele também está pensando em como se livrar de você. Mas isso não parece certo aos olhos de nenhum de vocês dois, por isso você começa a criar caso para que talvez outro idiota se interesse pela sua namorada, porque vocês dois continuam achando que as outras garotas são mais interessantes, os outros homens são mais interessantes. É a velha história de que a grama do vizinho parece mais verde. A distância provoca esse fenômeno.

Qualquer mulher pode lhe parecer mais interessante do que a sua esposa; ela é uma chata. Mas o que você não sabe é que todas essas mulheres estão seguindo a mesma filosofia. Durante um ou dois dias, elas são maravilhosas, e depois que elas agarram você a coisa muda de figura – elas se tornam umas chatas. O mesmo acontece com os homens. Ao encontrar uma mulher na praia, no parque, nas margens de um rio, ele finge ser Alexandre, o Grande, anda como um leão. E dentro de dois dias o mesmo sujeito se reduziu a um rato.

Ninguém fala sobre a realidade da razão por que isso acontece, por que tantas pessoas passam a ser desnecessariamente infelizes. Essa sociedade nunca será feliz se não deixarmos que as pessoas sigam em frente e não fiquem presas a um casamento, não fiquem presas às suas próprias promessas.

Vivam um com o outro em liberdade e, no momento em que sentir que já explorou toda a topografia da mulher e a mulher souber que já viveu tudo o que é possível viver com o homem, é hora de dizer adeus amigavelmente. Não há necessidade de se prenderem ao pescoço um do outro.

Um mundo completamente livre de qualquer contrato entre um homem e uma mulher será imensamente amoroso, belo, empolgante, interessante. Mas criamos instituições, e viver numa instituição não é uma experiência muito boa. O casamento é uma instituição, embora as gerações mais novas estejam um pouco mais livres, estabilizando-se só depois dos 30 anos. Eu estive procurando no mundo inteiro um *hippie* com pelo menos 35 anos de idade. Não encontrei nenhum. Por volta dos 30 anos, todos os *hippies* desaparecem; eles se tornam as mesmas pessoas conservadoras que combatiam antes.

Quando olha como é viver em instituições – casamento, comunidade, sociedade, Lions Club, Rotary Club –, você não consegue viver prazerosamente, você já experimentou. Essa é a primeira vez na história em que temos uma geração mais jovem. Não quero dizer que no passado não havia jovens, só não havia uma "geração mais jovem". Uma criança pequena, de 7 anos de idade, já começaria a seguir o caminho profissional dos pais, começaria a ir para o campo, cuidar das vacas; ou, se o pai fosse carpinteiro, a criança começaria a ajudá-lo. Aos 7 anos, ela já teria se juntado à sociedade.

Pela primeira vez na história, existe uma geração que pode realmente ser chamada de "mais jovem" e isso criou um lapso entre as gerações. Existem escolas, existem faculdades, universidades, e é preciso 25, 26 anos para sair da faculdade com um diploma de pós-graduação. Mas por volta dessa época você não é mais jovem. Você já começa a ter responsabilidades: profissão, família, casamento.

Mas durante a época que passa na universidade, antes de começar a vida, existe um grande lapso de tempo em que você não está envolvido em nenhuma atividade produtiva, utilitária. Foi isso que criou esse lapso entre as gerações. Os homens e as mulheres tornam-se sexualmente maduros – as mulheres por volta dos 13 anos, os homens por volta dos 14 – e acabarão se casando por volta de dez ou doze anos depois. Esses doze anos tornaram possível o namoro.

A compreensão de todo esse fenômeno e da sua psicologia é uma grande oportunidade para o futuro. Você tem a opção de mudar os velhos hábitos, de causar problemas mas abandonar velhos hábitos. Todo homem precisa conhecer muitas mulheres. Toda mulher precisa da experiência de muitos outros homens antes de decidir se casar. A experiência deles as ajudará a encontrarem a pessoa certa, com quem possam se fundir sem nenhuma dificuldade.

"Ao mesmo tempo", você disse, "observava dentro de mim essa energia destrutiva e sentia que de algum modo ela me dava prazer!" Todo mundo tem energia destrutiva, porque a energia, se deixada por sua própria conta, acaba se tornando destrutiva; isso só não acontece se ela for usada com consciência e se tornar criativa. Mas a coisa mais importante que você está dizendo é que "de algum modo ela me dava prazer!"

Então como você vai mudá-la? Se a coisa lhe dá prazer, você se sente tentado a ficar no mesmo nível; não consegue mudá-la, porque pode não gostar da mudança. E tudo isso lhe veio à mente só porque a sua namorada lhe disse que você "é um pouco chato, muito dependente e vitimista".

Você tem energia. Ter prazer com uma energia destrutiva é suicídio, ter prazer com energia destrutiva por ser destrutiva é algo que está a serviço da morte. Se você estiver consciente disso, precisa passar por uma transformação. Use a sua energia criativamente; talvez isso faça de você uma pessoa menos chata, mais interessante, menos dependente, menos vitimista. E a parte mais importante é que você não sentirá culpa nem ficará deprimido. Nenhuma pessoa criativa se sente deprimida e culpada. A sua participação no universo por meio das suas ações criativas a torna completamente preenchida e lhe dá dignidade. Esse é um direito de todo ser humano, mas muito poucas pessoas o reivindicam.

Além dos mais, esse grande "não" se tornará um grande "sim" se a energia passar para dimensões criativas. E sem nenhuma dificuldade; é muito fácil usar a energia em áreas criativas. Pintar, praticar jardinagem, cultivar flores, escrever poesia, aprender música, dançar. Aprenda qualquer coisa que transforme a sua energia destrutiva em energia criativa e imediatamente o grande não se tornará um sim ainda maior. Aí você não terá raiva da existência, você será grato. Você não será contra a vida.

Como uma pessoa criativa pode ser contra a vida, o amor? É impossível, isso nunca aconteceu. Só as pessoas pouco criativas são contra tudo. E se você puder ser criativo, a favor da vida, você estará mais perto de se tornar um indivíduo autêntico, sincero, divertido.

A sua namorada já trouxe à baila importantes questões para a sua vida. O caminho mais fácil seria mudar de namorada, mas eu tenho o palpite de que ela é sua amiga e tudo o que disse é absolutamente sincero, autêntico. Seja grato a ela e comece a mudar as coisas. O dia em que a sua namorada achar que você é uma pessoa vibrante, interessante, será um grande dia na sua vida. Então não seja covarde nem troque de namorada só porque esta confundiu a sua mente e você acha melhor trocá-la por outra.

Você tem sorte de ter encontrado uma mulher tão compassiva. A sua próxima escolha será muito difícil; ela fará com que você se sinta absolutamente culpado e sem valor, porque, o que você fez para ter valor? O que você fez para não ser chato? O que fez para declarar a sua independência? O que fez para não ser uma vítima? É hora de fazer alguma coisa. Você sempre será grato à sua namorada.

E eu gostaria de dizer a ela, "Continue atormentando esse cara até ter certeza de que ele não é mais chato, mas cheio de vida, absolutamente interessante, brincalhão, divertido. Você pode perdê-lo para outra pessoa no caminho, mas o terá preparado para outra mulher; do contrário, do jeito que ele é agora será uma tortura para muitas mulheres e para si mesmo".

Estou tentando preparar o homem do futuro, que respeitará a mulher como um ser igual a ele, que dará a ela oportunidade para crescer ao mesmo tempo em que dará a ele próprio oportunidade para crescer. E não haverá nenhum tipo de servidão. Se duas pessoas puderem se amar durante toda a vida, ninguém vai incomodá-las. Mas não há necessidade nenhuma de casamento nem de divórcio. O amor deve ser um ato de absoluta liberdade.

Mas também lhe ensinaram durante milhares de anos que, "Se você realmente ama, esse amor tem de ser permanente". Eu não vejo nada na vida que tenha de ter essa qualidade de ser permanente. O amor não pode ser nenhuma exceção. Portanto, não espere que o amor seja permanente. Isso fará com que a sua vida amorosa seja mais bonita, porque você sabe que hoje estão juntos, mas amanhã talvez você tenha de partir. O amor vem como uma brisa fresca e perfumada que entra na sua casa, enche tudo de frescor e perfume, fica o tempo que a existência permitir e depois vai embora. Você não deve tentar fechar todas as portas, pois senão essa brisa fresca vai se tornar um ar absolutamente viciado.

É isso o que a vida das pessoas se tornou – viciada, feia – e a razão recai na ideia que elas têm de amor permanente. Na vida, tudo está mudando. E a mudança é bela; ela lhe dá mais e mais experiência, mais e mais consciência, mais e mais maturidade.

Não há mais alegria e divertimento no meu relacionamento, embora eu sinta que ainda existe amor e eu não gostaria que rompêssemos. Como podemos resgatar essa alegria e leveza?

Há um mal-entendido na sua mente. A alegria não acabou, ela nunca existiu – o que existia era outra coisa. O que acabou foi a empolgação, mas você achou que ela era alegria. A alegria virá agora; quando a empolgação diminui, e só então, a alegria começa. A alegria é um fenômeno muito silencioso; não se parece em nada com empolgação, com uma febre. Ela é tranquila, calma e fresca.

Mas esse mal-entendido não é só seu; é da maioria das pessoas. As pessoas acham que empolgação é alegria. É um tipo de intoxicação; a pessoa se sente ocupada, muito ocupada. Com isso, ela se esquece das preocupações, dos problemas, das ansiedades. É como consumir álcool: você se esquece dos seus problemas, se esquece de si mesmo, e pelo menos por um instante fica afastado, distante de si mesmo. Esse é o significado da empolgação: você não está mais dentro, você está fora de si; fugiu de si mesmo. Mas, por estar longe de si mesmo, cedo ou tarde você se cansa. Você deixa de sentir a energia nutriz que vem do seu eu mais profundo quando se aproxima dele.

É por isso que nenhuma empolgação pode ser permanente; só pode ser um fenômeno momentâneo, uma coisa momentânea. Todas as luas de mel se acabam; elas chegam ao fim, do contrário você morreria! Se você continuasse tão empolgado, acabaria frenético. Essa empolgação precisa diminuir, você precisa voltar a se nutrir do que existe dentro de si. Não pode continuar acordado durante várias noites seguidas. Uma noite, duas, três, tudo bem, mas se passar muitas noites acordado vai começar a se sentir cansado, absolutamente exausto. E começará a se sentir meio entorpecido e morto também; vai precisar descansar. Depois de cada empolgação é preciso um descanso. No descanso você recapitula, se recupera; aí pode voltar a se empolgar.

Mas a empolgação não é alegria, é só um jeito de fugir da infelicidade.

Procure entender isso muito bem: a empolgação é só uma fuga da infelicidade. Ela lhe proporciona uma experiência falsa e superficial de alegria. Como você não está mais se sentindo infeliz, acha que está alegre; o fato de não se sentir infeliz equivale a estar alegre. A verdadeira alegria é um fenômeno positivo. Não se sentir infeliz é só um tipo de esquecimento. A infelicidade só está esperando que você volte para casa, e sempre que você voltar ela estará lá esperando.

Quando a empolgação acaba, a pessoa começa a pensar, "Para que serve este amor?" O que as pessoas chamam de "amor" morre junto com a empolgação e essa é a maior calamidade. Na verdade, o amor nunca nem sequer existiu. Foi apenas um amor pela empolgação; não era amor de verdade. Era só um esforço para se distanciar de si mesmo. Era uma busca por sensações.

Você usa apropriadamente a palavra "divertimento" na sua pergunta; era divertido, mas não havia intimidade. Quando a empolgação acaba e você começa a sentir amor, o amor pode crescer; agora os dias de febre chegaram ao fim. Esse é o verdadeiro começo do amor.

Para mim, o verdadeiro amor começa quando a lua de mel acaba. Mas nessa hora a sua mente começa a achar que está tudo acabado: "Procure outra mulher, procure outro homem. Continuar para quê? Acabou o divertimento!"

Se você continuar amando agora, o amor será mais profundo, se tornará intimidade. Ele passará a ter certa graça. Passará a ter uma sutileza. Não será superficial. Não será divertido, será meditação, será devoção. Ajudará você a se conhecer. O outro será o seu espelho, e por meio dele você poderá se conhecer. Agora é a hora, a hora certa de o amor crescer, porque toda a energia que foi canalizada para a empolgação não será desperdiçada: será usada para fertilizar as próprias raízes do amor, e essa árvore desenvolverá uma grande folhagem.

Se você conseguir continuar fazendo essa intimidade crescer, o que não é mais empolgação, a alegria surgirá: primeiro a empolgação, depois o amor, depois a alegria. A alegria é o resultado final, a gratificação. A empolgação é só o começo, o fator desencadeante; não é o fim. E aqueles que não vão além da empolgação, nunca conhecerão o amor, nunca conhecerão o mistério do amor, nunca conhecerão a alegria do amor. Eles conhecerão as sensações, a excitação, a paixão febril, mas nunca conhecerão a graça que é o amor. Nunca saberão como é belo estar com uma pessoa sem nenhuma excitação, só com o silêncio, sem palavras, sem esforço algum para fazer alguma coisa. Só ficar na companhia do outro, dividindo o mesmo espaço, o mesmo existir, compartilhando, sem pensar no que fazer ou dizer, aonde ir e como se divertir; todas essas coisas já eram. A tempestade passou e só ficou o silêncio.

E não é que vocês não farão amor, só não será uma questão de "fazer" amor; será o amor acontecendo. Ele acontecerá a partir da graça, do silêncio, de um ritmo; ele brotará do fundo do seu ser, não virá do seu corpo, na realidade. Existe o sexo que é espiritual, que não tem nada a ver com o corpo. Embora o corpo participe, tome parte do ato, ele não é a fonte do amor. O sexo passa a ter a cor do Tantra – mas não antes disso.

Portanto, a minha sugestão é: observe-se. Agora que está se aproximando do templo, não fuja. Entre. Esqueça a empolgação, ela é uma coisa infantil. E algo muito belo está mais à frente. Se conseguir esperar, se tiver paciência e confiar nisso, ele virá.

ATRAÇÃO E OPOSIÇÃO

Existem alguns pontos fundamentais que é preciso entender.

Primeiro, o homem e a mulher são, por um lado, a metade um do outro e, por outro lado, polaridades opostas. O fato de serem opostos os atrai. Quanto mais distantes estiverem, mais profunda será a atração; quanto maior a diferença entre eles, maior será o charme e a beleza e a atração.

Mas é aí que está todo o problema. Quando eles se aproximam, querem ficar mais próximos ainda, querem se fundir um no outro, querem se tornar um só ser, um todo harmonioso; porém, toda atração depende da oposição, e a harmonia dependerá da dissolução dessa oposição. A menos que o caso de amor seja muito consciente, ele vai criar uma grande angústia, um grande problema.

Todos os amantes estão numa enrascada. Essa enrascada não é pessoal; ela reside na própria natureza das coisas.

Eles não se sentiriam atraídos um pelo outro – isso é chamado de "cair de amores". Não conseguem nem dar uma razão por que sentem esse impulso em direção ao outro. Eles não têm sequer consciência das causas subjacentes; por isso uma coisa estranha acontece: os amantes mais felizes são aqueles que nunca se encontram! Depois que se encontram, a mesma oposição que criou a atração se torna um conflito. Em cada detalhe, as atitudes deles são diferentes, as suas abordagens são diferentes. Embora falem a mesma língua, não conseguem se entender.

Um dos meus amigos estava conversando comigo sobre sua esposa e do eterno conflito entre eles. Eu disse, "Parece que vocês não se entendem".

Ele disse, "Entendê-la? Eu mal consigo ficar perto dela!" E se casaram por amor, não foi um casamento arranjado. Os pais deles eram contra; pertenciam a religiões diferentes, as sociedades em que viviam eram contra o casamento com pessoas de outras religiões. Mas eles brigaram contra todos e se casaram, só para descobrir que a vida deles seria uma briga constante.

O modo como a mente masculina olha o mundo é diferente do da mente feminina. Por exemplo, a mente masculina está interessada em coisas longínquas: no futuro da humanidade, nas estrelas distantes, se existe vida em outros planetas. A mente feminina simplesmente acha graça dessas tolices. Ela só está interessada no pequeno círculo em torno dela – nos vizinhos, na família, em quem está enganando a mulher, em que mulher se apaixonou pelo chofer. O seu interesse é local e humano. Ela não está interessada em reencarnação; nem está interessada em vida após a morte. O feminino se concentra no mais pragmático, no presente, no aqui e agora.

O homem nunca está no aqui e agora. Ele está sempre em outro lugar. Ele tem preocupações estranhas: reencarnação, vida após a morte, vida em outros planetas.

Se os dois parceiros estiverem conscientes de que se trata de um encontro entre opostos, de que não existe necessidade de conflito, então há uma grande oportunidade de entender o ponto de vista diametralmente oposto e absorvê-lo. A partir de então a vida em comum de um homem e uma mulher pode se tornar uma bela harmonia. Do contrário, ela será uma luta contínua.

Existem tréguas. A pessoa não pode viver brigando 24 horas por dia; ela precisa descansar um pouquinho, pelo menos para se preparar para a briga seguinte.

Mas um dos mais estranhos fenômenos é que, embora tenham convivido durante milhares de anos, homens e mulheres continuam sendo estranhos. Eles continuam gerando filhos, mas continuam sendo estranhos. A perspectiva feminina e a masculina são tão contrárias uma a outra que, a menos que se faça um esforço consciente, a menos que se faça disso uma meditação, não existe esperança de que tenham uma vida pacífica.

Um dos meus maiores interesses é saber como casar a tal ponto a meditação com o ato de fazer amor que todo caso de amor se torna automaticamente uma parceria na meditação, e toda meditação torne você tão consciente que não precise mais cair de amores, mas possa se elevar no amor. Você pode encontrar um amigo conscientemente, deliberadamente. O seu amor se aprofundará à medida que a sua meditação se aprofunda, e vice-versa; quando a meditação desabrochar, o seu amor também desabrochará. Mas num nível totalmente diferente.

Mas a maioria dos casais não está conectada na meditação. Eles nunca se sentam em silêncio durante uma hora, juntos, para sentir a consciência um do outro. Ou eles estão brigando ou fazendo amor, mas nos dois casos estão relacionados com o corpo, a parte física; a biologia, os hormônios. Eles não estão relacionados com o âmago mais profundo um do outro. As suas almas permanecem separadas.

Nos templos, nas igrejas e nos tribunais, só os seus corpos são casados. As suas almas estão a quilômetros de distância uma da outra. Embora você esteja fazendo amor com a sua parceira, nem nesses momentos você está presente, ou ela está presente. Talvez o homem esteja pensando na Cleópatra, em alguma atriz de cinema. E talvez seja por isso que todas as mulheres ficam com os olhos fechados: para não ver o rosto do marido, nem ser incomodada. Ela está pensando em Alexandre, o Grande; em Ivan, o Terrível; e se olhar para o marido acaba a fantasia. Ele se parece com um rato.

Até nos momentos mais belos, que deveriam ser sagrados, meditativos, de profundo silêncio – nem nesses momentos você está sozinha com o ser amado. Existe uma multidão ali. A sua mente está pensando em outra coisa, a mente do parceiro está pensando em outra pessoa. Então o que você faz é apenas robótico, mecânico. Alguma força biológica está escravizando você, e você chama isso de amor.

Ouvi dizer que, de manhã bem cedo, um bêbado viu um homem na praia fazendo flexões de braço. O bêbado se aproximou dele, olhou mais de perto aqui e ali, e finalmente disse: "Não quero interferir numa relação tão íntima, mas eu tenho que te falar que a sua namorada já foi!"

Esse parece ser o caso. Quando está fazendo amor, será que a mulher está realmente presente? Será que o homem está mesmo ali? Ou será que vocês estão apenas fazendo um ritual, algo que tem que ser feito, um dever a ser cumprido?

Se você quer um relacionamento harmonioso com o parceiro, terá que aprender a ser mais meditativo. Só o amor não basta. O amor sozinho é cego; a meditação lhe dá visão. A meditação lhe dá entendimento. E depois que o amor for tanto amor quanto meditação, vocês se tornam companheiros de viagem. O relacionamento deixa de ser comum. Torna-se um companheirismo na jornada de descoberta dos mistérios da vida.

Homens solitários, mulheres solitárias acharão essa jornada muito entediante e muito longa, como já descobriram no passado. Como viram esse conflito eterno, todas as religiões decidiram que as pessoas que queriam empreender a busca religiosa deveriam renunciar ao outro – os monges deveriam praticar o celibato, as freiras deveriam praticar o celibato. Mas em cinco mil anos de história, quantos monges e quantas freiras se tornaram almas realizadas? Pode-se contar nos dedos. E deve haver milhões de monges e freiras de todas as religiões: budistas, hindus, cristãos, muçulmanos. O que houve?

O caminho não é tão longo, o objetivo não está tão distante. Mas, mesmo que você queira ir à casa do seu vizinho, precisará das duas pernas. Se for pulando com uma perna só, que distância poderá percorrer?

Homens e mulheres juntos, numa profunda amizade, num relacionamento amoroso e meditativo, como um todo orgânico, podem atingir o objetivo a qualquer momento que quiserem. Porque o objetivo não está fora de você; ele é o centro do ciclone, é a parte mais íntima do seu ser. Mas você só pode encontrá-lo quando está inteiro, e você não ficará inteiro sem o outro.

O homem e a mulher são duas partes do mesmo todo. Portanto, em vez de perder tempo brigando, tentem se entender. Tentem se colocar no lugar do outro; tente ver com os olhos do homem, tente ver com os olhos da mulher. E quatro olhos são melhores do que dois. Você tem visão total; todas as quatro direções são acessíveis para vocês.

Mas uma coisa você precisa lembrar: faça isso sem meditação, e o amor está fadado ao fracasso; não existe possibilidade de ele ter sucesso. Você pode fingir e pode enganar os outros, mas não pode enganar a si mesmo. Você sabe lá no fundo que nenhuma promessa que o amor lhe fez foi cumprida.

Só com meditação o amor começa a assumir novas cores, uma nova música, novas canções, novas danças, porque a meditação lhe dá condições de compreender o oposto polar, e basta essa compreensão para o conflito desaparecer.

Todo conflito do mundo é causado por mal-entendidos. Você diz algo e a sua mulher entende outra. A sua mulher diz alguma coisa e você entende outra. Tenho visto casais que viveram juntos por trinta ou quarenta anos; mesmo assim parecem tão imaturos quanto eram no dia em que se conheceram. A reclamação ainda é a mesma: "Ela não entende o que eu estou dizendo". Quarenta anos juntos e você ainda não conseguiu encontrar um jeito de a sua mulher entender o que você está falando. E você, consegue entender o que ela lhe diz?

Mas eu acho que não existe nenhuma possibilidade de isso acontecer, exceto por meio da meditação, porque a meditação lhe dá as qualidades do silêncio, da consciência, de saber ouvir com paciência, de conseguir se colocar no lugar do outro.

As coisas não são impossíveis, mas nós não experimentamos o remédio certo.

Eu gostaria que você se lembrasse de que a palavra "medicina" tem a mesma raiz de "meditação". A medicina cura o seu corpo; a meditação cura a sua alma. A medicina cura a sua parte material; a meditação cura a sua parte espiritual.

As pessoas estão vivendo juntas e seus espíritos estão cheios de feridas; por isso, coisas pequenas machucam tanto.

Mulá Nasruddin me perguntou, "O que eu faço? Qualquer coisa que eu diga é mal-interpretada e na mesma hora causa problema".

Eu disse, "Experimente uma coisa: sente-se em silêncio, sem dizer nada".

No dia seguinte, ele estava mais desesperado do que nunca. Eu disse, "O que aconteceu?"

Ele disse, "Não deveria ter lhe pedido um conselho. Todos os dias havia briga e discussão, mas eram apenas verbais. Ontem, por causa do seu conselho, eu apanhei!"

"Mas o que aconteceu?", perguntei.

Eu simplesmente fiquei ali sem dizer nada. Ela me fez várias perguntas, mas eu estava determinado a manter silêncio. Ela disse, "Então, não vai falar nada?" Eu continuei quieto. Então ela começou a me bater. E estava muito zangada. Ela dizia, "As coisas vão de mal a pior. Antes pelo menos conversávamos; agora nem isso!" Toda a vizinhança se aglomerou em volta de casa e começaram a perguntar, "O que aconteceu? Por que não estão conversando?" E alguém sugeriu, "Parece que ele está possuído por espíritos malignos".

"Eu pensei, meu Deus, Agora eles vão me levar a algum idiota que vai me bater e tentar me livrar do espírito maligno. Eu disse, 'Esperem! Eu não estou possuído por nenhum espírito, simplesmente não estou dizendo nada para evitar brigas: se eu digo algo ela acha que também tem de dizer e ninguém sabe onde isso vai dar'. Eu estava simplesmente meditando em silêncio, não estava fazendo mal a ninguém, e de repente a vizinhança toda estava contra mim!"

As pessoas não estão entendendo nada. Por isso, qualquer coisa que façam sempre acaba em desastre.

Se você ama um homem, a meditação será o melhor presente que você pode dar a ele. Se ama uma mulher, não adianta dar maquiagem para ela; a meditação é uma dádiva muito mais preciosa, e tornará a sua vida uma grande alegria.

Nós somos potencialmente capazes de sentir uma grande alegria, só não sabemos como.

Sozinhos, ficamos tristes. Juntos, a nossa vida é um inferno.

Até um homem como Jean-Paul Sartre, um homem de inteligência brilhante, tem de admitir que o inferno são os outros, que viver sozinho é a melhor coisa, não conseguimos nos entender. Ele se tornou tão pessimista que disse ser impossível se entender com os outros, que o inferno são os outros. No nível mais comum, ele está certo.

Com a meditação, o outro se torna o seu céu. Mas Jean-Paul Sartre não tinha ideia do que era a meditação.

Essa é a desgraça do homem ocidental. O homem ocidental está perdendo as flores da vida porque não sabe nada sobre meditação, e o homem oriental também as está perdendo porque não sabe nada sobre o amor. E para mim, assim como o homem e a mulher são as duas metades de um todo, o mesmo acontece com o amor e a meditação. A meditação é o homem; o amor é a mulher. No encontro da meditação e do amor está o encontro do homem e da mulher. E nesse encontro, criamos o ser humano transcendental, que não é homem nem mulher. E a menos que criemos o homem transcendental na Terra, não há muita esperança.

Você disse que a harmonia suprema pode ser encontrada no que parecem opostos, mas eu sinto que o ódio destrói o amor e a raiva aniquila a compaixão. Como posso encontrar harmonia se esses extremos estão em conflito dentro de mim?

Você não entendeu bem. Se o ódio destrói o amor e a raiva destrói a compaixão, então não existe possibilidade de que o amor ou a compaixão existam. Você fica sem saída, sem ter como sair disso. Você viveu milhões de vidas com ódio, portanto ele já deve ter destruído o amor. Já viveu milhões de vidas com raiva, então ela já deve ter acabado com a compaixão.

Mas, veja, o amor ainda está aí. O ódio vem e vai embora e o amor continua. A raiva vem e vai embora, e a compaixão continua. O ódio não está conseguindo destruir o amor; a noite não é capaz de destruir o dia e as trevas não são capazes de aniquilar a luz. Não, eles continuam existindo.

Portanto, é preciso entender primeiramente que o amor e a compaixão não estão sendo destruídos. Segundo, você só vai entender a harmonia dos opostos mais tarde, quando realmente amar.

Você não amou de verdade, esse é o problema. Não odeia; o ódio não é o problema, o problema é que você não amou de verdade. As trevas não são o problema, o problema é que você não tem a luz. Se a luz estiver presente, as trevas desaparecem. Você não amou. Você fantasia, imagina, sonha, mas não amou.

Ame! E não estou dizendo que basta amar para que o ódio desapareça imediatamente – não. O ódio lutará contra você, porque todo mundo quer sobreviver. O ódio resistirá. Quanto mais você amar, mais forte será a resistência do ódio. Mas você se surpreenderá ao descobrir que o ódio vem e vai embora. Ele não extermina o amor; antes, deixa o amor mais forte. O amor também pode absorver o ódio. Isso não destrói o amor, mas o enriquece.

O que é o ódio, na verdade? É uma tendência para se afastar. O que é o amor? Uma tendência para se aproximar. O ódio é uma tendência para a separação, uma tendência para o divórcio. O amor é uma tendência para o casamento, para a proximidade, para a aproximação, para nos tornarmos um. O ódio é para nos tornarmos dois, independentes. O amor é para nos tornarmos um, interdependentes. Sempre que odeia, você se afasta do ser amado, do seu amor. Mas na vida comum, é preciso se afastar para poder se aproximar outra vez.

É como quando você come: você está com fome, então come; depois a fome passa, porque você comeu. Quando você ama uma pessoa, ela é como um alimento. O amor é alimento – muito sutil, espiritual, mas é alimento e nutre você. Quando você ama uma pessoa, a fome passa; você se sente saciado, então de repente o impulso para se afastar aflora e vocês se separam. Mas aí a fome aperta outra vez; vocês gostariam de se aproximar, ficar mais perto, amar, se integrar um ao outro. Você come e por algumas horas se esquece de comida; não continua sentado na cozinha, no restaurante. Você vai embora; depois de algumas horas começa a voltar. Tem fome.

O amor tem duas faces, uma está faminta e a outra está saciada. Você interpreta equivocadamente o amor, como se ele vivesse faminto. Depois que entende que não existe ódio, só uma situação para provocar o lado faminto, o ódio passa a fazer parte do amor. E isso enriquece o amor. A raiva passa a fazer parte da compaixão, ela enriquece a compaixão. Uma compaixão sem nenhuma possibilidade de raiva seria impotente, não teria nenhuma energia. Uma compaixão com possibilidade de raiva tem força, resistência. Um amor sem nenhuma possibilidade de ódio seria sem graça. O relacionamento pareceria uma prisão, pois você não poderia se afastar. O amor com ódio é cheio de liberdade; nunca fica sem graça.

Na matemática da vida, o divórcio acontece porque todo dia ele é adiado. Ele vai se acumulando e um dia o casamento é completamente aniquilado por ele, destruído por ele. Se está me entendendo, sugiro que você não espere: todo dia se divorcie e case-se novamente. Isso deve seguir um ritmo, assim como o dia e a noite, a fome e a saciedade, o verão e o inverno, a vida e a morte. É preciso que seja assim. Pela manhã você ama, à tarde você odeia. Quando ama, você realmente ama, você ama com a totalidade do seu ser; quando odeia, você realmente odeia, odeia com a totalidade do seu ser. E de repente você perceberá a beleza disso: a beleza está na totalidade.

O ódio total também é belo, tão belo quanto o amor total; a raiva total também é bela, tão bela quanto a compaixão total. A beleza está na totalidade. A raiva apenas se torna feia, o ódio apenas se torna feio – é apenas o vale sem a montanha, sem o pico. Mas com o pico, o vale se torna uma paisagem bonita. Do pico, o vale fica adorável, do vale o pico fica adorável.

Você se move; o rio da vida se move entre essas duas margens. E, pouco a pouco, quanto mais você entender a matemática da vida, mais achará que o ódio não é o contrário do amor. Eles se complementam. Você não achará que a raiva é contrária à compaixão; elas se complementam. Não achará que o descanso é contrário ao trabalho, eles se complementam; ou que a noite é contrária ao dia; eles se complementam. Formam um todo perfeito.

Como não amou, você tem medo de odiar. Você tem medo porque o seu amor não é forte o suficiente. O ódio poderia destruí-lo. Você não tem certeza, na verdade, se ama ou não; é por isso que tem medo do ódio e da raiva. Você sabe que isso pode abalar as estruturas da casa toda. Você não sabe se a casa realmente existe ou se é apenas imaginação sua, uma casa imaginária. Se é imaginária, o ódio a destruirá; se é real, o ódio a tornará mais forte. Depois da tempestade, reina o silêncio. Depois do ódio, os amantes estão suficientemente revigorados para se entregar um ao outro renovados, como se estivessem se encontrando pela primeira vez. Várias vezes eles se encontram, várias vezes pela primeira vez.

Os amantes estão sempre se encontrando pela primeira vez. Se eles se encontrarem pela segunda vez, o amor já terá envelhecido, ficado sem graça. Será entediante. Os amantes sempre se apaixonam todos os dias, jovens, renovados. Você olha a sua mulher e mal consegue perceber que já a viu antes – tão nova! Você olha o seu homem e ele lhe parece um estranho; você se apaixona novamente.

O ódio não destrói o amor, ele só destrói a sua rancidez. Ele é uma limpeza, e se você entender isso será grata a ele. E se for grata ao ódio também, é porque entendeu; agora nada pode destruir o seu amor. Agora você está pela primeira vez enraizada; pode absorver a tempestade e se fortalecer por meio dela, se enriquecer por meio dela.

Não olhe a vida como uma dualidade, não olhe a vida como um conflito – ela não é. Eu sei – ela não é. Eu experimentei – ela não é. Ela é um todo, um só pedaço, e tudo se encaixa nela. Você só tem que descobrir como deixar que tudo se encaixe, como permitir que tudo se encaixe. Permita que as coisas se encaixem. A vida é um maravilhoso todo.

E se você me perguntar se existe uma possibilidade de um mundo sem ódio, eu não optaria por ela; esse mundo seria totalmente morto e entediante. Poderia ser doce, mas doce demais; você ia ficar louco por um sal. Se fosse possível um mundo sem ódio eu não o escolheria, porque a compaixão sem ódio fica destituída de vida. O oposto provoca tensão, o oposto dá têmpera. Quando o ferro comum passa pelo fogo, ele vira aço; sem fogo não pode haver aço. E quanto maior a temperatura, maior a têmpera, a força, do aço. Se a compaixão puder passar pela raiva, quanto maior a temperatura da raiva maior será a têmpera e a força da compaixão.

Buda tem compaixão. Ele é um guerreiro. Ele vem da raça *kshatrya*, é um samurai. Ele deve ter tido uma vida cheia de ódio – e então, de repente, compaixão. O mestre jaina Mahavira também veio do clã dos *kshatrya*. À primeira vista, até parece absurdo, mas tem uma certa lógica: todos os grandes mestres da não violência pertencem às raças de guerreiros. Eles falam de não violência, de compaixão; viveram a violência, sabem o que ela é, já passaram por ela. Somente um *kshatrya*, um guerreiro, que passou pelo fogo, tem uma compaixão forte ou a possibilidade de tê-la.

Portanto, lembre-se, se dentro do seu coração esses extremos estiverem lutando entre si, não escolha. Deixe que ambos existam. Seja uma casa ampla, com cômodos suficientes. Não diga, "Eu só terei compaixão, não terei raiva; ou só terei amor, não terei ódio". Você ficará empobrecido.

Tenha um grande coração, deixe que ambos coexistam. Não é preciso criar um conflito entre eles; não existe conflito. O conflito vem da sua mente, dos seus ensinamentos, da sua criação, do seu condicionamento. O mundo todo continuará lhe dizendo, "Ame, não odeie". Como você pode amar sem odiar? Jesus disse, "Ame os seus inimigos". E eu lhe digo, "Odeie os seus amores também". Aí você terá o todo. Do contrário, os ditos de Jesus ficam incompletos. Ele diz, "Ame os seus inimigos". Você só odeia os seus inimigos, e ele pede que você os ame também. Mas está faltando a outra parte. Eu lhe digo, odeie os seus amigos também; odeie os seus amores também, e não tenha medo. Depois, pouco a pouco, você verá que não existe diferença entre o inimigo e o amigo, pois você odeia e ama o inimigo e ama e odeia o amigo. Será só uma questão de virar a moeda ao contrário. Aí o amigo se torna inimigo e o inimigo se torna amigo. As distinções simplesmente desaparecem.

Não crie uma batalha interior, deixe que ambos existam. Os dois serão necessários. Eles lhe darão duas asas; só assim você consegue voar.

DIGA ADEUS AO CLUBE DOS CORAÇÕES SOLITÁRIOS

Uma coisa muito intrincada, complexa, precisa ser entendida: se você não está amando, está solitário. Se você está amando, realmente amando, você fica só.

Solidão é tristeza; solitude não é tristeza. A solidão é um sentimento de incompletude. Você precisa de alguém e essa pessoa não está disponível. A solidão é sombria, ela não tem luz. É uma casa escura, esperando que alguém venha e acenda a luz.

A solitude não é solidão. A solitude significa o sentimento de que você está completo. Não é preciso ninguém, você é suficiente. E isso acontece no amor. Os amantes se tornam sós. Por meio do amor você toca a sua completude interior. O amor torna você completo. Os amantes compartilham entre si, mas isso não é uma necessidade, é a sua energia transbordante.

Duas pessoas que se sentem solitárias podem fazer um contrato, podem ficar juntas. Elas não são amantes, lembre-se. Continuam solitárias, mas agora, por causa da presença uma da outra, não sentem mais a solidão, isso é tudo. Elas de algum modo enganam a si mesmas. O amor delas não é nada a não ser uma ilusão para enganarem a si mesmas: "Eu não estou sozinha, há alguém comigo".

Como duas pessoas solitárias estão se encontrando, a solidão delas basicamente duplicou, ou até se multiplicou. Isso é o que costuma acontecer. Você se sente solitário quando está sozinho e, quando tem um relacionamento, se sente infeliz. Isso é algo que se observa todos os dias. Quando as pessoas não têm um relacionamento, elas se sentem solitárias e ficam em busca de alguém com quem se relacionar. Quando encontram alguém, começa o sofrimento delas; então elas começam a sentir que era melhor viver na solidão – é demais para elas.

O que acontece? Duas pessoas solitárias se encontram – isso significa que duas pessoas melancólicas, tristes, infelizes se encontram – e a infelicidade se multiplica. Como duas feiuras podem se tornar beleza? Como dois solitários juntos podem suscitar um sentimento de completude, de totalidade, um no outro? Não é possível. Eles exploram um ao outro, eles de algum modo tentam se enganar por meio desse relacionamento, mas essa enganação não vai longe. Basta a lua de mel acabar para que o casamento também chegue ao fim. É apenas uma ilusão temporária.

O amor de verdade não é uma busca pelo fim da solidão. O amor de verdade consiste em transformar a solidão em solitude, ajudar o outro. Se você ama uma pessoa, você a ajuda a ficar só. Você não tenta preenchê-la. Você não tenta completar o outro com a sua presença. Você ajuda o outro a ficar sozinho, a se preencher a tal ponto com o seu próprio ser que você não seja mais necessário.

Quando a pessoa é totalmente livre, essa liberdade torna possível o compartilhamento. Ela dá muito de si, mas sem que isso seja uma necessidade; dá muito de si, mas não faz disso um comércio. Ela dá muito de si porque tem muito para dar. Ela dá muito de si porque gosta de se dar.

Os amantes vivem só, e um amante de verdade nunca acaba com a solitude do outro. Ele sempre respeitará a individualidade dele, a sua solitude. Ela é sagrada. Ele não interferirá nela, não tentará se intrometer no espaço do outro.

Mas, de modo geral, os amantes, os chamados "amantes", têm muito medo da solitude do outro, da independência do outro. Eles têm muito medo porque acham que, se o outro for independente, eles não serão necessários, serão descartados. Por isso a mulher continua usando estratégias para que o marido ou o namorado continue dependente dela. Eles precisam viver mostrando essa dependência para que ela continue a ter valor. E o homem vive fazendo o mesmo, para se sentir importante. O resultado é um comércio, não amor, e uma vida de conflitos, de batalhas. Essas batalhas se baseiam no fato de que todo mundo precisa de liberdade.

O amor dá liberdade; não só dá como a fortalece. E qualquer coisa que destrua a liberdade não é amor. Deve ser outra coisa. Amor e liberdade andam juntos, são as duas asas do mesmo pássaro. Sempre que vir o amor se contrapondo à liberdade, é porque você está fazendo outra coisa em nome do amor.

Que este seja o seu critério: a liberdade é o critério; o amor lhe dá liberdade, faz com que seja livre, liberta você. E depois que você é totalmente você mesmo, você se sente grato à pessoa que o ajudou. Essa gratidão é quase religiosa. Você sente na outra pessoa algo quase divino. Ela o tornou livre, fez de você uma pessoa livre, e o amor não se tornou possessividade.

Quando o amor se deteriora, ele se torna possessividade, ciúme, luta por poder, política, dominação, manipulação – mil e uma coisas, todas feias. Quando o amor se eleva, chega ao mais puro céu, ele é liberdade, total liberdade.

Se você ama, ama da maneira que estou falando aqui, o seu próprio amor ajudará o outro a se integrar. O seu próprio amor se tornará uma força consolidante para o outro. No seu amor, o outro se tornará um ser inteiro, único, individual, porque o seu amor lhe dará liberdade. À sombra do seu amor, sob a proteção do seu amor, o outro começará a crescer.

Todo crescimento requer amor, mas amor *incondicional*. Se o amor tiver condições, o crescimento não pode ser total, porque essas condições interferirão.

Ame incondicionalmente, não peça nada em troca. Você será enormemente recompensado de maneira natural – isso é outra coisa –, mas não seja um pedinte. No amor, seja um imperador. Apenas dê e veja o que acontece: as recompensas serão multiplicadas. Mas a pessoa tem que aprender o truque. Do contrário, continuará um miserável; ela dá pouco e espera algo em troca, e essa espera e expectativa destrói toda a beleza.

Quando você espera algo em troca, o outro sente que você está sendo manipulador. Ele pode dizer isso ou não, mas sente que você o está manipulando. E sempre que sente isso, você quer se rebelar contra essa manipulação, por que isso vai contra a necessidade interior da sua alma, pois qualquer exigência de fora "des-integra" você. Qualquer exigência de fora divide você. Qualquer exigência de fora é um crime contra você, pois a sua liberdade é maculada. Você deixa de ser sagrado. Deixa de ser o fim e passa a ser usado como meio. E o ato mais imoral deste mundo é usar outra pessoa como meio de se conseguir alguma coisa.

Todo ser é um fim em si mesmo. O amor trata você como um fim em si mesmo. Você não tem que preencher as expectativas de ninguém.

Portanto, algumas coisas precisam ser lembradas. Uma é amar, mas não como uma necessidade – como um compartilhar. Ame, mas não espere nada em troca; dê de bom grado. Ame, mas lembre-se de que o seu amor não pode se tornar uma prisão para o outro. Ame, mas seja muito cuidadoso; você está transitando em terras sagradas. Você está entrando no templo mais elevado, puro e sagrado que existe. Fique alerta! Deixe todas as impurezas do lado de fora do templo. Quando amar uma pessoa, ame-a como se ela fosse um deus, não menos do que isso. Nunca ame uma mulher como uma mulher e nunca ame um homem como um homem, porque, se fizer isso, o seu amor vai se tornar muito comum. Ele não vai passar de luxúria. Se você ama uma mulher como mulher, o seu amor não vai parar nas alturas. Ame uma mulher como uma deusa, assim o seu amor será um culto.

No Tantra, o homem que fará amor com uma mulher tem que adorá-la durante meses como a uma deusa. Ele tem que visualizar na mulher a deusa-mãe. Quando essa visualização é total, quando ele não sente mais nenhuma luxúria, quando ao vê-la nua à sua frente ele só vibra com uma energia divina, sem nenhuma luxúria, a própria forma da mulher se torna divina, e todos o pensamentos param e ele só sente reverência – só então ele tem permissão para fazer amor com ela.

Isso parece meio absurdo e paradoxal. Quando não há mais necessidade de fazer amor, ele tem permissão para tal. Quando a mulher se torna uma deusa, ele tem permissão para fazer amor com ela, porque agora o amor pode pairar nas alturas, pode se tornar um clímax, um crescendo. Ele não pertencerá à terra, não pertencerá a este mundo; não pertencerá a dois corpos, mas a dois seres. Será um encontro entre duas existências. Duas almas se encontrarão, se fundirão e ambas emergirão dele completamente sós.

A solidão é um estado em que você está de mal consigo mesmo, cansado de si mesmo, e quer ir para outro lugar para esquecer de si mesmo envolvendo-se com outra pessoa. A solitude é quando você está empolgado com o seu próprio ser. Está feliz apenas por ser quem é. Não precisa ir para lugar nenhum. A necessidade não existe mais, você se basta. Mas agora, outra coisa brota em seu ser. Você tem tanto que não pode se conter. Você precisa compartilhar, tem que dar. E a quem quer que aceite a sua dádiva, você será grato a essa pessoa por tê-la aceito.

Os amantes se sentem gratos pelo seu amor ter sido aceito. Eles se sentem agradecidos, porque estão repletos de energia e precisavam de alguém sobre quem derramá-la. Quando uma flor desabrocha e libera a sua fragrância ao vento, ela se sente grata pelo vento. A fragrância estava ficando cada vez mais intensa dentro da flor. Estava quase se tornando um fardo. É como se uma mulher estivesse grávida de nove meses e a criança se demorasse a nascer. Agora ela está sobrecarregada; quer partilhar a criança com o mundo.

Esse é o significado do nascimento. Até o momento a mulher carregou a criança dentro dela, ela não era de mais ninguém a não ser da mãe. Mas agora a criança cresceu demais; ela não pode contê-la. Ela tem que ser compartilhada; tem que ser compartilhada com o mundo. A mãe tem que deixar de lado a sua mesquinhez. Depois que a criança sai do útero, ela não é mais só da mãe; pouco a pouco a criança irá se distanciar, para bem longe. Passará a fazer parte do mundo maior.

O mesmo acontece quando uma nuvem fica pesada de chuva, prestes a desabar; e quando desaba, a nuvem fica mais leve, feliz e grata à terra sedenta, pois ela aceitou a chuva.

Existem dois tipos de amor. Um é o amor que acontece quando você está se sentindo solitário: por necessidade, você busca o outro. O outro amor surge quando você não está se sentindo solitário, apenas só. No primeiro caso, você sai em busca de alguma coisa; no segundo, você sai em busca de dar alguma coisa. Quem doa é um imperador.

O amor que brota da solitude não é um amor comum. Ele não tem nada a ver com luxúria; pelo contrário, é a maior transformação da luxúria em amor. E o amor torna você individual. Se ele não tentar fazer de você um indivíduo, se tentar fazer de você um escravo, então não é amor; é ódio se fingindo de amor. O amor desse tipo aniquila, destrói a individualidade do outro. Faz de você menos do que um indivíduo, puxa você para baixo. Você não é exaltado, não se torna cheio de graça. É puxado para o lodo e todo mundo que está emaranhado nesse tipo de relacionamento começa a sentir que está se contentando com algo sujo.

O amor tem que dar a você liberdade; nunca se contente com menos. O amor precisa torná-lo completamente livre, um peregrino nos céus da liberdade, sem raízes fincadas em nenhum lugar. O amor não é uma amarra; a luxúria é.

A meditação e o amor são duas maneiras de se atingir a individualidade de que estou falando. Os dois estão profundamente relacionados. Na verdade, são os dois lados da mesma moeda: amor e meditação. Se você medita, cedo ou tarde vai deparar com o amor. Se medita profundamente, cedo ou tarde começará a sentir um amor imenso brotando dentro de você, algo que nunca conheceu antes: uma nova qualidade no seu ser, uma nova porta se abrindo. Você se torna uma nova chama e quer compartilhar agora.

Se ama profundamente, aos poucos você vai percebendo que o seu amor está se tornando mais e mais meditativo. Uma qualidade sutil de silêncio começa a invadir você. Os pensamentos vão desaparecendo, as lacunas aumentando, silêncios. Você passa a tocar as suas próprias profundezas.

O amor torna você meditativo se estiver no caminho certo. A meditação torna você amoroso se estiver no caminho certo.

As trevas da solidão não podem ser combatidas de modo direto. É essencial para qualquer pessoa entender que existem coisas básicas que não podem ser mudadas. Esse é um dos princípios fundamentais: você não pode lutar contra a escuridão diretamente, com a solidão diretamente, com o medo de isolamento diretamente. A razão é que todas essas coisas não existem; elas são simplesmente faltas de alguma coisa, assim como a escuridão é a falta de luz.

Você pode continuar lutando contra a escuridão a sua vida inteira e não adiantará nada; no entanto, basta uma pequena vela para dissipá-la. Você tem que batalhar pela luz, pois ela é positiva, existencial; existe por si mesma. E depois que a luz vier, qualquer coisa que representasse a sua falta automaticamente desaparecerá.

A solidão se assemelha à escuridão.

Você não conhece a sua solitude. Não viveu a sua solitude e a sua beleza, o seu tremendo poder, a sua força. A solidão e a solitude, nos dicionários, são sinônimos, mas a existência não segue os dicionários. E ninguém ainda tentou fazer um dicionário existencial, que não contradiga a existência.

A solidão é uma falta, porque você não conhece a sua solitude. Existe o medo. Você se sente solitário, então quer se agarrar a algo, a alguém, a um relacionamento, só para ter a ilusão de que não é solitário. Mas você sabe que é, por isso a dor. Por um lado, você está se agarrando a algo que não é de verdade, que é só um arranjo temporário – um relacionamento, uma amizade. E, enquanto mantém o relacionamento, pode alimentar uma pequena ilusão que o faça esquecer a solidão.

Mas este é o problema: embora possa esquecer por um instante a sua solidão, no instante seguinte você se dá conta de que o relacionamento ou a amizade não é para sempre. Ontem você não conhecia esse homem ou essa mulher, vocês eram estranhos. Hoje são amigos; amanhã o que acontecerá? Amanhã vocês podem ser estranhos outra vez, por isso a dor.

A ilusão dá um certo conforto, mas não pode criar a realidade e fazer com que todo medo desapareça. Ela reprime o medo, por isso na superfície você se sente bem – pelo menos você tenta se sentir bem. Você finge para si mesmo que se sente bem: como o relacionamento está maravilhoso! Como este homem ou esta mulher é maravilhosa! Mas por trás da ilusão – e a ilusão é tão tênue que você pode ver através dela –, o coração dói, porque o coração sabe perfeitamente bem que amanhã as coisas podem ser diferentes, e serão.

A experiência de toda a sua vida é uma prova de que tudo muda. Nada permanece igual; você não pode se agarrar a nada num mundo em mutação. Você quer tornar a sua amizade permanente, mas esse desejo vai contra a lei da mudança, e essa lei não tem exceções. Ela se aplica a todos os casos. Ela mudará, tudo mudará. Talvez a longo prazo você compreenda que foi bom ela não tê-lo ouvido, a existência não ter se incomodado com você e continuasse fazendo o que bem queria, sem levar em conta o seu desejo.

Pode levar algum tempo para você entender. Você quer que o seu amigo seja seu amigo para sempre, mas amanhã ele pode se tornar seu inimigo. Ou simplesmente "perdem contato" e vocês não se encontram mais. Outra pessoa preenche esse vazio e mostra ser muito superior. Então de repente você percebe que foi bom que tenha perdido contato com o outro; do contrário, não teria conhecido este. Mas a lição nunca é profunda o bastante para evitar que você continue ansiando pelo permanente.

Você começará a esperar pelo permanente com este homem, com esta mulher: agora a situação não pode mais mudar. Você ainda não aprendeu a lição de que a mudança é simplesmente o próprio tecido da vida. Você precisa entendê-la e viver com ela. Não crie ilusões; elas não vão ajudar. E todo mundo está criando ilusões de um jeito ou de outro.

Eu conheci um homem que costumava dizer, "Só confio no dinheiro, em nada mais".

Eu disse a ele, "Você está fazendo uma afirmação que faz muito sentido".

"Todo mundo muda", ele continuou. "Você não pode confiar em ninguém. E à medida que fica mais velho, só o dinheiro lhe pertence. Ninguém nem liga, nem o seu filho, nem a sua esposa. Se você tem dinheiro eles se importam com você, mostram respeito, porque você tem dinheiro. Se não tem dinheiro, você se torna um mendigo."

A sua afirmação de que o dinheiro é a única coisa em que se pode confiar é fruto de uma longa experiência de vida, de alguém que foi enganado várias e várias vezes por pessoas em quem confiava. E ele achava que era amado, mas as pessoas estavam em torno dele por causa do dinheiro.

"Mas", eu disse a ele, "no momento da morte, o dinheiro não vai estar com você. Você pode ter a ilusão de que pelo menos o dinheiro está com você, mas, quando parar de respirar, ele não estará mais. Você o ganhou, mas terá que deixá-lo para trás; não pode levá-lo com você depois da morte. Você cairá numa solidão profunda, que se escondia atrás da fachada do dinheiro."

Existem pessoas que buscam poder, mas a razão é a mesma: quando estão no poder, há muitas pessoas em torno dela, milhões de pessoas estão sob a sua dominação. Elas não estão sozinhas. São grandes políticos ou líderes religiosos. Mas o poder muda de mãos. Um dia você o tem e no outro não o tem mais. E de repente toda a ilusão se vai. Você está mais sozinho do que ninguém, porque os outros estão pelo menos acostumados com a solidão. Você não está acostumado, a sua solidão dói mais.

A sociedade tentou armar esquemas para que você não sinta solidão. Casamentos arranjados são simplesmente um esforço para que você saiba que a sua esposa está com você. Todas as religiões são contra o divórcio por uma simples razão: se o divórcio for liberado, o propósito básico do casamento será destruído. O propósito básico era lhe arranjar uma companhia, uma companhia para a vida inteira.

Mas, embora a sua esposa ou o seu marido fique com você a vida inteira, isso não significa que o amor é o mesmo. Na realidade, em vez de lhe arranjarem uma companhia, eles lhe arranjam um fardo para carregar. Você era solitário, já era difícil, e agora você carrega consigo outra pessoa solitária. E nesta vida não há esperança, porque, depois que o amor acaba, vocês dois se sentem solitários e têm que tolerar um ao outro. Agora não é mais uma questão de ficar encantado com o outro; no máximo vocês toleram pacientemente um ao outro. A sua solidão não muda por causa do contrato social do casamento.

As religiões tentaram tornar você um membro de um corpo religioso organizado, para que estivesse sempre em meio a uma multidão. Você sabe que existem milhares de católicos; você não está sozinho, milhões de católicos estão com você. Jesus Cristo é o seu salvador. Deus está com você. Sozinho você pode se enganar, podem surgir dúvidas, mas milhões de pessoas não podem estar erradas. Um pequeno apoio, mas nem isso é suficiente porque há milhões de pessoas que não são católicas. Existem as pessoas que crucificaram Jesus, existem pessoas que não acreditam em Deus. E não são em número menor do que o de católicos, são mais numerosos. Existem outras religiões com diferentes conceitos. É difícil que uma pessoa inteligente não tenha dúvidas. Você pode ter milhões de pessoas seguindo o mesmo sistema de crença, mas mesmo assim você não consegue ter certeza de que elas estão com você, de que você não está solitário.

Deus era um artifício, mas todos os artifícios falharam. Eram só artifícios... Quando não existe mais nada, pelo menos Deus está com você. Na noite escura da alma, ele está com você, por isso não se preocupe. Foi bom que a humanidade infantilizada tenha sido enganada por esse conceito, mas você não pode ser enganado. Esse Deus que está em todo lugar – você não o vê, não pode conversar com ele, não pode tocá-lo. Não tem nenhuma prova da existência dele, a não ser o seu desejo de que ele exista. Mas o seu desejo não prova nada.

Deus é só um desejo da mente infantil. O homem atingiu a maioridade e Deus perdeu o sentido. A hipótese se provou infundada.

O que estou tentando dizer é que nenhum esforço para evitar a solidão adiantou, e não adiantará, porque contraria os princípios da vida. Você não precisa de alguma coisa que o faça esquecer a solidão. Do que você precisa é tomar consciência da sua solitude, que é uma realidade. E é tão maravilhoso vivê-la, senti-la, porque é a sua libertação da multidão, do outro. É a sua libertação do medo de ser solitário.

Basta a palavra "solitário" para imediatamente lembrá-lo de que existe uma ferida: é preciso algo para preenchê-la. Existe uma lacuna e ela dói, é preciso preenchê-la. A palavra "solitude" não tem essa conotação de "ferida", de lacuna que tem que ser preenchida. A solitude significa simplesmente completude. Você está inteiro; não é preciso que ninguém complete você.

Portanto, procure encontrar o seu centro mais profundo, onde você sempre está só, onde sempre esteve. Na vida, na morte, onde quer que esteja, você está só. Mas esse centro está tão repleto! Não está vazio, está tão repleto e tão completo e transbordante com todas as seivas da vida, com todas as belezas e bênçãos da existência que depois que você provar a solitude, a dor no seu coração passará. Em vez disso, um novo ritmo de extrema doçura, paz, alegria, felicidade estará presente.

Isso não significa que uma pessoa centrada na sua solitude, completa em si mesma, não possa fazer amigos. Na verdade, só uma pessoa como essa pode fazer amigos, porque agora isso não é mais uma necessidade, é só um compartilhar. Você tem tanto que pode compartilhar.

E, quando você compartilha, não existe a questão do apego. Você flui com a existência, flui com a mudança da vida, porque não importa com quem você compartilhe. Pode ser com a mesma pessoa amanhã – com a mesma pessoa a vida toda – ou pode ser com pessoas diferentes. Não é um contrato, não é um casamento; é simplesmente a sua plenitude que quer se doar. Portanto, a quem quer que se aproxime, você se dá. E essa doação é uma grande alegria.

Mendigar é uma desgraça. Mesmo que consiga algo dessa maneira, você continuará sendo infeliz. Isso dói. Fere o seu orgulho, fere a sua integridade. Mas o compartilhamento torna você mais centrado, mais integrado, mais orgulhoso – mas não mais egoísta, simplesmente orgulhoso de saber que a existência está se compadecendo de você. Não se trata do ego, mas de um fenômeno totalmente diferente, um reconhecimento de que a existência lhe permitiu algo que milhões de pessoas estão tentando conseguir, mas batendo na porta errada. Você conseguiu batendo na porta certa.

Você está orgulhoso da sua bem-aventurança e de tudo o que a existência tem lhe concedido. O medo desaparece, a escuridão desaparece, a dor desaparece, o desejo pelo outro desaparece. Você pode amar uma pessoa e, se essa pessoa amar outra, não há nenhum ciúme, porque amar lhe dá uma grande alegria. Não é apego, você não está mantendo a outra pessoa numa prisão. Você não está preocupado com a possibilidade de ela escapar das suas mãos; de ela se apaixonar por outra pessoa. Quando compartilha a sua alegria, você não cria uma prisão para ninguém. Você simplesmente dá. Nem mesmo espera gratidão ou agradecimentos, porque você não está dando para obter algo em troca, nem mesmo gratidão. Você está dando porque está tão repleto que precisa se doar.

Portanto, não estou dizendo para fazer nada com relação à sua solidão. Busque a sua solitude. Esqueça a solidão, esqueça a escuridão, esqueça a dor. Elas são apenas a falta de solitude, e a experiência da solitude as dispersará instantaneamente. E o método é o mesmo: simplesmente observe a sua mente, fique atento. Torne-se cada vez mais consciente, até que finalmente esteja apenas consciente de si mesmo. Esse é o ponto em que ficamos conscientes da solitude.

E sempre olhe para ver se qualquer coisa que esteja encarando como um problema é uma coisa negativa ou positiva. Se for uma coisa negativa, não lute contra ela; não se incomode com ela. Só olhe para o seu lado positivo, e você estará batendo na porta certa. A maioria das pessoas deste mundo erra porque começam a lutar contra a porta negativa. Não existe porta; só existe escuridão, só existe ausência. E quanto mais elas lutam, mais deparam com o fracasso, mais desanimam, ficam pessimistas e acabam chegando à conclusão de que a vida não tem sentido, que ela não passa de uma tortura. O erro delas é entrar pela porta errada.

Antes de enfrentar um problema, simplesmente olhe para ele – é a falta de algo? E a verdade é que todos os seus problemas são a falta de algo. Depois que você descobrir o que está faltando nos seus problemas, busque o positivo. No momento em que encontrar o positivo, você terá encontrado a luz, e a escuridão desaparecerá.

?

Por que eu só me sinto cheia de vida quando estou apaixonada? Eu digo a mim mesma que deveria ser capaz de me alegrar sem outra pessoa, mas ainda não consegui. Será que estou jogando comigo mesma o mesmo jogo estúpido de *Esperando Godot*? Quando o último caso de amor terminou, jurei para mim mesma que eu não deixaria o mesmo processo destrutivo acontecer novamente, mas eis-me aqui me sentindo outra vez só meio viva, esperando que "ele" venha.

A pessoa só continua necessitando do outro até esse ponto, até essa experiência, quando ela penetra no seu próprio centro interior. A menos que ela se conheça, vai continuar necessitando do outro. Mas a necessidade do outro é muito paradoxal; a sua natureza é paradoxal. Quando você está sozinha e se sente solitária, sente que o outro está faltando; a sua vida parece incompleta. Ela perde a alegria, perde o fluxo, o desabrochar; fica desvitalizada. Se você está com outra pessoa, então surge outro problema, porque ele começa a invadir o seu espaço. Começa a lhe impor condições, começa a exigir coisas de você, a destruir a sua liberdade, e isso machuca.

Portanto, quando estiver com alguém, só durante alguns dias, quando ainda estiverem em lua de mel – e quanto mais inteligente você for menos durará a lua de mel –, lembre-se. Só pessoas absolutamente entorpecidas conseguem ter um relacionamento prolongado; para pessoas insensíveis, pode ser uma coisa para a vida inteira. Mas, se você é inteligente, sensível, logo perceberá o que fez. O outro está acabando com a sua liberdade, e de repente você se dá conta de que precisa da sua liberdade, porque ela é valiosíssima. E você decide nunca mais dar importância para o outro.

Quando está sozinha, você está livre, mas algo fica faltando, porque a sua solidão não é solitude; é só solidão, é um estado negativo. Você esquece o que é liberdade. Livre você está, mas o que fazer com essa liberdade? Não existe amor, e ambos são necessidades essenciais.

E até agora a humanidade viveu de maneira tão insana que você só conseguiu satisfazer uma necessidade: você pode ser livre, mas terá de abrir mão da ideia de amor. Isso é o que os monges e freiras de todas as religiões estão fazendo: abra mão da ideia do amor e você será livre; não haverá ninguém para cerceá-lo, para interferir na sua vida, para fazer exigências, para possuir você. Mas aí a vida se torna fria, quase morta.

Você pode ir a um mosteiro e observar os monges e as freiras: a vida deles é feia. Cheira à morte; não é fragrante de vida. Não há dança, alegria, canção. Todas as canções desapareceram, toda alegria está morta. Eles estão paralisados – como podem dançar? Estão aleijados – como podem dançar? Não há como dançar. As energias estão paradas, elas não estão mais fluindo. Pois o fluxo do outro é necessário; sem o outro não existe fluxo.

Por isso a maioria dos seres humanos optou pelo amor e abriu mão da ideia de liberdade. Mas agora as pessoas vivem como escravas. Os homens reduziram as mulheres a um objeto, uma mercadoria, e claro que as mulheres fizeram o mesmo de maneiras mais sutis: elas dominaram o marido.

Ouvi uma vez:

> *Em Nova York, alguns homens dominados pelas esposas se uniram. Criaram um clube para protestar, para lutar – o Movimento de Libertação dos Homens, ou algo assim! E é claro que eles escolheram um dos homens mais dominados para presidir o clube.*
>
> *Marcaram a primeira reunião, mas o presidente não apareceu. Eles ficaram preocupados. Correram até a casa dele e perguntaram, "Qual o problema? Você se esqueceu?"*
>
> *Ele disse, "Não, mas a minha mulher não me deixou ir. Ela disse, 'Se você sair, eu não deixo você entrar'. E esse risco eu não posso correr".*

O homem reduziu a mulher a uma escrava e a mulher reduziu o homem a um escravo. E é claro que ambos detestam a escravidão, ambos resistem a ela. Eles vivem numa luta constante; qualquer coisinha é desculpa para uma briga.

Mas a luta de verdade acontece num nível mais profundo; a luta de verdade é pela liberdade. Eles não podem dizer isso claramente, podem ter se esquecido completamente. Pois há milhares de anos é assim que as pessoas vivem. Elas viram o pai e a mãe vivendo assim, viram os avós vivendo assim. É desse jeito que as pessoas vivem; elas aceitaram, e a liberdade foi aniquilada.

É como se estivéssemos tentando voar com uma asa só. Algumas pessoas estão com a asa do amor e outras estão com a asa da liberdade, mas nenhuma delas consegue voar. São necessárias as duas asas.

Você me pergunta, "Por que eu só me sinto cheia de vida quando estou apaixonada?" Isso é perfeitamente natural; não há nada de errado nisso. É assim que deve ser. O amor é uma necessidade natural; é como comida. Se você está com fome, claro que se sente irrequieta. Sem amor a sua alma está faminta; o amor é o alimento da alma. Assim como o corpo precisa de comida, água, ar, a alma precisa de amor. Mas a alma também precisa de liberdade, e o mais estranho é que não aceitamos esse fato ainda.

Se você ama, não há por que destruir a sua liberdade. Os dois podem existir juntos; não existe antagonismo entre eles. Criamos esse antagonismo por causa da nossa loucura. Por causa dele os monges acham que as pessoas mundanas são tolas; e as pessoas mundanas lá no fundo acham que os monges são tolos; eles estão deixando de aproveitar todas as alegrias da vida.

Perguntaram um dia a um grande sacerdote, "O que é o amor?"

Ele respondeu, "Uma palavra composta de duas vogais, duas consoantes e dois idiotas!"

Essa é a sua condenação do amor. Porque todas as religiões condenaram o amor, elas prezam demais a liberdade. Na Índia, chamamos a experiência suprema de *moksha*; *moksha* significa liberdade absoluta.

Você diz: "Eu digo a mim mesma que deveria ser capaz de me alegrar sem outra pessoa, mas ainda não consegui". E essa situação vai continuar assim, não vai se alterar. Você deve, em vez disso, mudar o seu condicionamento com relação ao amor e à liberdade. Ame a pessoa, mas dê a ela total liberdade. Ame a pessoa, mas deixe claro desde o começo que você não está vendendo a sua liberdade.

E, se você não conseguir fazer com que isso aconteça nesta comunidade, aqui comigo, não conseguirá em lugar nenhum. Aqui estamos experimentando muitas coisas, e uma das dimensões da nossa experiência é fazer com que o amor e a liberdade sejam possíveis juntos, apoiar a coexistência deles. Ame uma pessoa, mas não a possua, e não deixe que ela a possua. Insista na liberdade, e não perca o amor! Não há necessidade. Não existe uma inimizade natural entre a liberdade e o amor; essa inimizade foi criada. É claro que há séculos tem sido assim, por isso você se acostumou a ela; ela se tornou algo condicionado.

Havia um velho fazendeiro cuja voz não era mais que um sussurro. Curvado sobre a cerca que dava para uma estrada rural, ele observava uma dúzia de porcos selvagens num bosquete. Em intervalos de minutos os porcos espremiam-se por um buraco da cerca, atravessavam a estradinha em direção a outra parte do bosque e imediatamente corriam de volta.

"Qual o problema com aqueles porcos?", perguntou um estranho que passava.

"Problema nenhum", sussurrou o fazendeiro com a sua voz rouca. "Aqueles porcos são meus e antes de perder a voz eu costumava chamá-los na hora da comida. Depois que fiquei sem voz, passei a bater com uma vara na cerca na hora de alimentá-los.

Ele fez uma pausa e balançou a cabeça com ar grave. "E agora, esses malditos pica-paus trepados nas árvores estão deixando esses pobres porcos malucos!"

Nada além de condicionamento! Isso é o que acontece com a humanidade.

Um dos discípulos de Pavlov, o pioneiro e fomentador da teoria do reflexo condicionado, estava tentando um experimento na mesma linha. Ele comprou um filhote de cachorro e decidiu condicioná-lo a ficar de pé e latir pedindo comida. Ele segurava a comida do filhote fora do alcance dele, latia algumas vezes e depois a colocava no chão diante do cão. A ideia era que o filhote associasse o ato de ficar de pé e de latir com o de ser alimentado e aprendesse a fazer isso quando estivesse com fome.

O treinamento se prolongou por cerca de uma semana, mas o cachorrinho não conseguiu aprender. Depois de mais uma semana, o homem desistiu do experimento e simplesmente colocou a comida no chão, em frente ao cachorro. O cachorro, no entanto, se recusou a comer. Ele estava esperando que o mestre ficasse de pé e latisse! Agora já estava condicionado!

Trata-se apenas de um condicionamento. Pode ser eliminado. Você só precisa ficar um pouco mais meditativa. Meditação simplesmente significa o processo de descondicionamento da mente. Tudo o que a sociedade fez com você pode ser desfeito. Quando não estiver mais condicionada, você será capaz de ver a beleza do amor e da liberdade juntos; eles são dois aspectos da mesma moeda. Se você realmente ama a pessoa, dará a ela total liberdade – essa é uma dádiva de amor. E, quando existe liberdade, o amor responde intensamente. Quando você dá liberdade a alguém, dá a ele o mais precioso dos presentes, e o amor vem correndo ao seu encontro.

Você me pergunta: "Será que estou jogando comigo mesma o mesmo jogo estúpido de *Esperando Godot*?" Não.

"Quando o último caso de amor terminou, jurei para mim mesma que eu não deixaria o mesmo processo destrutivo acontecer novamente, mas eis-me aqui me sentindo outra vez só meio viva, esperando que 'ele' venha." Mas você não consegue mudar a si mesma só fazendo uma jura, só porque decidiu. Você tem que entender. O amor é uma necessidade básica, assim como a liberdade, por isso ambas precisam ser atendidas. E a pessoa que é cheia de amor *e* é livre é o mais belo fenômeno que existe neste mundo. E, quando duas pessoas com essa beleza se encontram, o relacionamento delas não é um relacionamento. É um fluxo constante, como a correnteza de um rio. Está constantemente atingindo maiores altitudes.

A altitude suprema do amor e da liberdade é a experiência do divino. Nela você encontrará um tremendo amor, amor absoluto, e felicidade absoluta.

?

Vivo com medo de ficar sozinho, porque quando estou sozinho começo a querer saber quem sou eu. É como se, questionando mais profundamente, eu fosse descobrir que não sou a pessoa que acreditei ser nos últimos 26 anos, mas um ser, presente no momento do nascimento e talvez até no momento anterior. Por alguma razão, isso me apavora. É como um tipo de insanidade, e faz com que eu me perca nas coisas exteriores para me sentir mais seguro. Quem sou eu e por que o medo?

O medo não é apenas seu, é o medo de todo mundo. Porque ninguém é o que esperava ser ao existir.

A sociedade, a cultura, a religião, a educação, todos eles conspiram contra crianças inocentes. Eles têm todos os poderes, a criança é indefesa e dependente. Por isso, conseguem fazer com elas qualquer coisa que queiram. Não deixam nenhuma criança cumprir o seu destino natural. Todos os esforços são no sentido de tornar o ser humano útil.

Se deixarem que a criança cresça em paz, quem garante que ela será de alguma utilidade aos seus interesses particulares? A sociedade não está preparada para assumir esse risco. Ela se apodera da criança e começa a moldá-la, de modo que seja útil à sociedade. Num certo sentido, ela aniquila a alma da criança e lhe dá uma identidade falsa, para que ela nunca sinta falta da sua alma, do seu ser.

A identidade falsa é um substituto. Mas esse substituto só serve para alguma coisa em meio à multidão que o deu a você. No momento em que está sozinho, o falso começa a se estilhaçar e o eu verdadeiro, reprimido, passa a se expressar.

Por isso o medo da solidão. Ninguém quer ficar na solidão, todo mundo quer pertencer à multidão – não a uma apenas, mas a várias. Uma pessoa pertence a um grupo religioso, a um partido político, a um rotary club, e existem muitos outros pequenos grupos aos quais pertencer. A pessoa quer ter apoio durante 24 horas por dia porque o falso, sem apoio, não consegue se firmar. No momento em que ela fica sozinha, começa a sentir uma loucura estranha.

É sobre isso que você está perguntando, porque durante 26 anos acreditou ser uma pessoa e agora, de repente, no momento em que está sozinho, você começa a sentir que não é essa pessoa. Isso dá medo; então quem você é? E 26 anos de repressão – vai levar algum tempo até que o eu verdadeiro se expresse. A lacuna entre os dois foi chamada, pelos místicos, de "noite escura da alma" – uma expressão muito apropriada. Você não é mais o falso e ainda não é o verdadeiro. Você está num limbo, não sabe quem você é.

Principalmente no Ocidente – e a pessoa que fez a pergunta é ocidental – o problema é ainda mais complicado. Porque eles não desenvolveram ainda um método para descobrir o verdadeiro o mais rápido possível, de modo que a noite escura da alma possa ser abreviada. O Ocidente nada sabe sobre a meditação. E meditação é só um nome para se ficar sozinho, em silêncio, esperando que o eu verdadeiro se firme. Não se trata de uma ação, é um relaxamento silencioso, pois qualquer coisa que você faça virá da sua personalidade falsa. Todas as suas ações, nesses 26 anos, vieram dela; trata-se de um velho hábito.

Os hábitos são persistentes.

Existiu um grande místico na Índia, Eknath. Ele estava a caminho de uma peregrinação santa com todos os discípulos. Seriam de três a seis meses de viagem.

Um homem se aproximou de Eknath, caiu aos seus pés, e disse, "Eu sei que não sou merecedor. O senhor também sabe, todos me conhecem. Mas eu também sei que a sua compaixão é maior do que a minha falta de mérito. Por favor, aceite-me como um dos membros do grupo que sairá nessa peregrinação".

Eknath disse, "Você é um ladrão, e não um ladrão qualquer, mas o rei dos ladrões. Você nunca foi pego, e todo mundo sabe que é ladrão. Eu certamente levaria você comigo, mas também tenho de pensar nas cinquenta pessoas que me acompanharão. Você terá que me dar a sua palavra – e não estou pedindo mais do que esses três ou seis meses de peregrinação, que você não roube. Depois disso, fica por sua conta. Quando estivermos de volta, você está livre da sua promessa".

O homem disse, "Estou absolutamente disposto a prometer e extremamente grato pela sua compaixão".

As outras cinquenta pessoas ficaram desconfiadas. Confiar num ladrão... Contudo, elas não podiam dizer nada a Eknath, pois ele era o mestre.

A peregrinação teve início e já na primeira noite houve confusão. Na manhã seguinte, havia um caos: o casaco de alguém havia sumido, a camisa de outro também, um terceiro sentira falta do dinheiro que levara. E todo mundo gritava, "Onde está o meu dinheiro?" e corriam para dizer a Eknath, "Desde o início ficamos preocupados quando soubemos que levaria este homem com o senhor. Um hábito de tão longa data!"

Mas aí começaram a olhar em volta e perceber que os objetos não tinham sido roubados. O dinheiro de uma pessoa havia desaparecido, mas depois fora encontrado na bolsa de outra pessoa. O casaco de alguém estava desaparecido, mas foi depois localizado na bagagem de outra pessoa. Tudo foi encontrado, mas era uma amolação desnecessária – toda manhã! E ninguém conseguia atinar no significado daquilo. Certamente não se tratava do ladrão, pois nada havia sido realmente roubado.

Na terceira noite, Eknath ficou acordado para ver o que estava acontecendo. No meio da noite, o ladrão – só por causa do hábito – acordou, começou a tirar as coisas do lugar e colocá-las em outro. Eknath deteve-o e disse, "O que está fazendo? Esqueceu-se da sua promessa?"

Ele disse, "Não, não me esqueci. Não estou roubando nada, mas não prometi que não iria mudar as coisas de lugar. Depois de seis meses, tenho de voltar a ser ladrão; é só para não perder a prática. E o senhor precisa entender que se trata de um hábito de muitos anos, não dá para abandoná-lo de uma hora para outra. Só me dê um tempo. O senhor precisa entender o meu problema também. Faz três dias que eu não roubo absolutamente nada – é como um jejum! Isso é só uma substituição, só estou me mantendo ocupado. Essa é a hora em que eu trabalho, no meio da noite, por isso é difícil para mim ficar na cama acordado. E tantos idiotas estão dormindo e eu não estou fazendo mal a ninguém. Pela manhã, eles encontram as coisas".

Eknath disse, "Você é um homem estranho. Vê que toda manhã isto aqui vira um caos e perdemos uma ou duas horas sem necessidade, para descobrir onde você pôs as coisas que sumiram dos pertences das pessoas. Todo mundo tem que abrir a bagagem e perguntar... "De quem é esse objeto?..."

O ladrão se defendeu, "Essa é a única concessão que o senhor tem que me fazer".

Vinte e seis anos de uma personalidade falsa imposta pelas pessoas que o amaram, a quem você respeitou, e elas não estavam lhe causando mal intencionalmente. As intenções delas foram boas, só não tinham consciência. Não eram pessoas conscientes: os seus pais, os seus professores, os seus sacerdotes, os seus políticos não eram pessoas conscientes, eram inconscientes. E até mesmo boas intenções nas mãos de pessoas inconscientes podem se tornar um veneno.

Portanto, sempre que está sozinho, surge um medo profundo, porque de repente o falso eu começa a desaparecer. E o verdadeiro demora um pouco. Você o perdeu há vinte e seis anos. Terá que levar em consideração o fato de que precisa suprir uma lacuna de vinte e seis anos.

Com medo de que esteja perdendo a identidade, a noção das coisas, a sanidade, a cabeça – porque o eu que os outros lhe deram consiste em todas essas coisas –, parece que você vai enlouquecer. Você logo começa a fazer algo só para se manter ocupado. Se não há ninguém por perto, pelo menos você tem algumas atividades. Assim, o eu falso continua ocupado e não começa a desaparecer.

Por isso, as pessoas têm mais dificuldade nos fins de semana. Durante cinco dias por semana elas trabalham, esperando que no final de semana possam relaxar. Mas o fim de semana são os piores dias da semana. Ocorrem mais acidentes, mais suicídios, mais assassinatos, mais roubos, mais estupros. O estranho é que essas pessoas se mantiveram ocupadas durante os cinco dias da semana e não houve nenhum problema. Mas o fim de semana de repente lhes deu uma escolha: ou se ocupar com algo ou relaxar, mas relaxar é aterrorizante; a personalidade falsa desaparece. Mantenha-se ocupado, faça qualquer coisa idiota.

As pessoas estão correndo para a praia, pegando congestionamentos de quilômetros. E, se você perguntar onde estão indo, elas dizem que estão "saindo do tumulto da cidade". Mas uma multidão está indo com elas! Elas estão em busca de um lugar silencioso, tranquilo – todas elas. Na verdade, se tivessem ficado em casa teriam mais silêncio e tranquilidade, porque todos aqueles idiotas saíram em busca de um lugar solitário. Estão correndo como loucos, porque dois dias acabam logo, eles têm que chegar, mas não pergunte aonde! E na praia, você pode ver. Não existe lugar tão cheio! Mas o mais estranho é que lá as pessoas se sentem muito à vontade, tomando sol. Dez mil pessoas numa faixa de areia, tomando sol, relaxando.

A mesma pessoa, na mesma praia, sem ninguém por perto, não conseguiria relaxar. Mas ela sabe que milhares de pessoas estão relaxando à sua volta. As mesmas pessoas estavam em escritórios, estavam no trânsito, estavam no supermercado, agora estão da praia.

As multidões são necessárias para que o eu falso exista. No momento em que ele fica sozinho, você começa a ficar assustado. É nesse ponto que a pessoa precisa entender um pouco de meditação.

Não fique preocupado, porque isso que pode desaparecer é bom que desapareça. Não faz sentido se agarrar a esse eu – ele não é seu, não é você. Você é aquele que fica quando esse eu falso se vai e um ser renovado, inocente, imaculado toma o seu lugar.

Ninguém pode responder à pergunta "Quem sou eu?" – você saberá.

Todas as técnicas de meditação servem para ajudar a destruir o falso. Elas não lhe dão o real – não podem dar. O que pode ser dado não pode ser real. O real você já tem; só é preciso tirar o falso de você.

Meditação é apenas a coragem de ficar sozinho em silêncio. Aos poucos, você começa a sentir uma nova qualidade no seu ser, uma nova vivacidade, uma nova beleza, uma nova inteligência, que não é emprestada de ninguém, que está crescendo dentro de você. Ela tem raízes na sua existência. E, se você não for covarde, ela passará a fluir, a florescer.

Só os valentes, os corajosos, as pessoas de fibra podem ser religiosas. Não os que se sentem nos bancos das igrejas; esses são covardes. Não os hindus, os muçulmanos, os cristãos; esses são contra a busca. É a mesma multidão que está tentando consolidar ainda mais a sua falsa identidade.

Você nasceu. Veio a este mundo com vida, com consciência, com uma tremenda sensibilidade. Repare só numa criança pequena. Olhe os olhos dela, o frescor. Tudo isso está sendo encoberto por uma falsa personalidade.

Não é preciso ficar com medo. Você só pode perder o que precisa ser perdido. E é bom que o perca logo, porque quanto mais ficar, mais forte se torna, e não se sabe o que pode acontecer amanhã. Não morra antes de perceber o seu ser autêntico. Afortunadas aquelas poucas pessoas que viveram como um ser autêntico e que morreram como um ser autêntico, porque elas sabem que a vida é eterna e a morte é uma ficção.

Então saia disso! É preciso sempre estar atento, porque, se a pessoa não se sente feliz numa situação qualquer, num certo estado de espírito, ela precisa sair disso. Do contrário, isso se torna um hábito, e pouco a pouco você perde a sensibilidade. Você continuará a ser infeliz e a viver assim, o que simplesmente mostra uma profunda insensibilidade.

Não há necessidade! Se você não se sentir bem em isolamento, então saia dele. Encontre pessoas, aproveite a companhia delas, converse e ria, mas quando se sentir farto disso, procure o isolamento outra vez.

Lembre-se sempre de julgar todas as coisas com base no seu sentimento interior de bem-aventurança. Se estiver se sentindo feliz, está tudo certo. Se não estiver se sentindo feliz, então, não importa o que esteja fazendo, alguma coisa está errada. Quanto mais você insistir nisso, mais vai se tornar uma coisa inconsciente e você vai se esquecer completamente de que colaborou para que esse sentimento de infelicidade se perpetuasse. Ele precisa da sua cooperação; não pode existir por si só.

O crescimento humano exige que a pessoa passe de uma polaridade a outra. Às vezes, ficar sozinho é ótimo: a pessoa precisa do seu próprio espaço, precisa se esquecer do mundo lá fora e ser ela mesma. O outro está ausente então você não tem limites. É o outro que cria os seus limites, do contrário você seria infinito.

Viver com outras pessoas, entrar no mundo lá fora, na sociedade, faz com que a pessoa pouco a pouco vá se sentindo confinada, limitada, como se houvesse muros em torno dela. Passa a haver uma prisão sutil e a pessoa precisa sair dela. Precisa às vezes ficar totalmente sozinha, para que todos os limites desapareçam, como se o outro não existisse e todo o universo, todo o céu, existisse só para você. Nesse momento de solidão, ela percebe, pela primeira vez, o que é o infinito.

Mas, então, se vive assim por muito tempo, pouco a pouco o infinito entedia você, fica sem graça. Existe pureza e silêncio, mas não há êxtase nenhum. O êxtase sempre vem por meio do outro. A pessoa então começa a se sentir ávida por amor e quer fugir dessa solidão, dessa vasta experiência de espaço. Ela quer um lugar aconchegante, onde fique cercada por outras pessoas, de modo que possa se esquecer de si mesma.

Essa é a polaridade básica da vida, do amor e da meditação. As pessoas que tentam viver apenas por meio do amor e dos relacionamentos, aos poucos vão se tornando muito limitadas. Elas perdem a natureza infinita e pura e se tornam superficiais. Viver sempre em relacionamentos significa viver sempre na fronteira onde você pode encontrar o outro. Por isso você está sempre no portão e não consegue entrar no seu palácio, porque esse portão é o ponto de encontro por onde os outros passam. Por isso as pessoas que só vivem no amor, aos poucos vão ficando superficiais. A vida delas perde a profundidade. E as pessoas que só vivem em meditação se tornam muito profundas, mas a vida perde a cor, perde a dança extasiante, a qualidade orgástica do ser.

A humanidade de verdade, a humanidade do futuro, viverá com ambas as polaridades, e todo o meu empenho é no sentido de compartilhar essa compreensão. A pessoa precisa ser livre para passar de uma para outra, sem que nenhuma delas se torne um confinamento. Você não deve temer nem a praça do mercado nem o mosteiro. Deve ser livre para transitar da praça do mercado para o mosteiro e do mosteiro para a praça do mercado.

Essa liberdade, essa flexibilidade de movimento, eu chamo de *sannyas*. Quanto maior a oscilação, mais rica é a sua vida. Existe a tentação de se ficar sempre na mesma polaridade, porque a vida fica mais simples. Se você ficar só com as pessoas, na multidão, é simples. A complexidade começa com o polo oposto, contraditório. Se você se tornar um monge ou for para o Himalaia e apenas viver lá, é muito simples. Mas uma vida simples, sem complexidade, perde muito da sua riqueza.

A vida deveria ser tanto complexa quanto simples. A pessoa precisa buscar essa harmonia continuamente, do contrário a vida se torna uma nota, uma única nota. Você pode continuar repetindo-a, mas não surgirá nenhuma sinfonia a partir dela.

Portanto, sempre que você sentir que algo está se tornando problemático, imediatamente saia disso, antes que se torne inconsciente. Nunca faça nada de morada, nem os relacionamentos nem a solidão. Continue fluindo, sem residência, e não permaneça em nenhuma polaridade. Usufrua de uma delas, delicie-se com ela, mas quando acabar passe para a outra: crie um ritmo.

Você trabalha de dia e descansa à noite; e no dia seguinte está pronto para trabalhar outra vez, revitalizado. Pense num homem que só trabalha dia e noite, ou que só dorme noite e dia – que tipo de vida terá? Um ficará louco, o outro entrará em coma. Entre os dois existe um equilíbrio, uma harmonia. Trabalhe duro de modo que possa relaxar. Relaxe profundamente de modo que possa trabalhar, possa ser mais criativo.

?

Por favor, me ajude! O meu namorado passou cinco semanas em Goa e eu passei um período muito bom, usufruindo da minha liberdade e independência, sem precisar enfrentar o meu ciúme e a minha possessividade, numa boa o dia inteiro. Agora está chegando a hora de ele voltar e eu estou ficando nervosa outra vez, querendo saber o que ele está fazendo, como vai ser, se ele encontrou outra pessoa, etc. Que apego é esse, por uma pessoa, que cria todos esses sentimentos confortáveis e tão desconfortáveis? Eu não sou um tipo realmente meditativo, mas existe qualquer possibilidade de superar esse apego e me sentir livre ou esse é o único jeito de viver, passar por isso, sofrer e aproveitar a coisa toda?

Eu conheço o seu namorado: ele faria qualquer pessoa feliz se fosse para Goa e ficasse por lá para sempre! Ele é um desafio, portanto, se está ficando nervosa, é natural. E não se preocupe com a possibilidade de ele ter se envolvido com alguma moça, porque nenhuma moça se envolveria com ele.

Eu pensei sobre ele e acho que só você pode lidar com ele. Ele é um cara maluco, mas você o ama. Você não pode amar um simples ser humano. Vocês nasceram um para o outro; nem você poderia arranjar outro namorado nem ele poderia arranjar outra namorada. Portanto, não se preocupe com a questão da possessividade ou de outra coisa qualquer. Você pode ser absolutamente não possessiva, ele ainda será o seu namorado. Aonde mais ele pode ir? A sua situação é muito boa, segura e garantida.

Em primeiro lugar, é um milagre que você o tenha encontrado. Quando ouvi a respeito pela primeira vez, eu disse, "Meu Deus! Agora algo muito misterioso vai acontecer. Essas duas pessoas juntas vão criar muito problema". Mas, mesmo assim, você é apegada a ele e ele é apegado a você. O amor de vocês é, em sua maior parte, composto de brigas, e quando cansam de brigar vocês amam também, mas isso só acontece quando vocês estão cansados. Ele também vai ficar nervoso, porque tem que voltar. Eu sugeri a ele que ficasse fora algumas semanas. Partiu imediatamente, no momento em que recebeu a minha mensagem: "Vá para Goa". Ele não esperou nem um dia sequer! Ele deve ter gostado dessas cinco semanas assim como você. Agora você está nervosa e ele também ficará, porque essas semanas finalmente chegaram ao fim.

Mas lá no fundo você também se sente feliz por ele estar de volta, e com ele acontece o mesmo. Deixe que ele venha. Trata-se apenas do seu antigo namorado: você o conhece como a palma da sua mão, ele a conhece como a palma da mão dele. Todas as brigas são bem conhecidas, todos os problemas são bem conhecidos. Não há por que ficar nervosa, porque não vai acontecer nada de novo. É só o mesmo velho chapa, portanto deixe-o vir e a vida continuar como sempre.

É preciso entender uma coisa: a namorada ou namorado que vocês têm é o que vocês merecem. Vocês não têm um namorado ou namorada que não merecem; esses tipos de relacionamento só duram um ou dois dias. Mas o seu relacionamento tem uma história, e ele vai durar até o fim da vida, por isso relaxe e faça com que ele seja fácil!

Você o merece, ele merece você. E depois que vocês reconhecerem que se merecem, não há mais razão para mágoas, queixas, reclamações. Você é forte, porque esse maluco não foi capaz de causar um arranhão em você. Ele tem tentado todo tipo de coisa neurótica. Mas ele não sabe que você é psicótica e os psicóticos e neuróticos têm casamentos muito bons. Eles se encaixam perfeitamente.

Um psicanalista foi consultado – porque essas duas palavras parecem muito semelhantes, e só os especialistas sabem a diferença –, perguntaram-lhe "Qual a diferença entre a neurose e a psicose?"

Ele disse, "O psicótico acha que dois mais dois são cinco e, não importa o que você diga, ele nunca muda de opinião. Ele é determinado e está convicto do seu ponto de vista. O neurótico sabe que dois e dois são quatro, mas isso o deixa muito nervoso – "Por que são quatro?"

Casamentos perfeitos só existem no céu, mas de vez em quando existem na Terra também. Você e o seu namorado são uma combinação perfeita. Por isso, deixe o pobre sujeito vir e comecem a se digladiar como sempre. Você está acostumada e muito bem treinada, ele idem. Um se preocupa com a nova namorada; nunca se sabe o que ela pode fazer – e se enlouquecer no meio da noite? Outra fica apreensiva com o novo namorado, porque não pode prever que tipo de homem ele vai ser.

Você tem certeza. Nessa certeza você pode relaxar e deixá-lo vir. Não vejo problema nenhum. Vocês são perfeitamente felizes na sua infelicidade; todas as pessoas são perfeitamente felizes nos seus relacionamentos infelizes! É por isso que depois de uma separação de cinco semanas você se sente bem. Se ela fosse maior você começaria a sentir falta dele.

Eu só dei tempo suficiente para que você aproveitasse a sua liberdade e ele, a dele; e no momento certo, quando vocês começam a sentir falta um do outro, ele está de volta. É só aguardar!

E ele não é uma pessoa perigosa; não lhe faria mal. Tem bom coração, só é um pouco frouxo das ideias. Mas ter um namorado frouxo das ideias é melhor do que ter um muito certo das ideias. Eu sei que não é um relacionamento comum: vocês dois são extraordinários.

ALMAS GÊMEAS OU "CELAS"* GÊMEAS?

Estamos todos vivendo de acordo com ficções, poesias, histórias de cinema. Isso deu à humanidade uma impressão errada, a impressão de que, quando existe amor, tudo se encaixa, não existe nenhum conflito. Durante séculos, os poetas têm transmitido a ideia de que os amantes são feitos um para o outro.

Ninguém é feito para ninguém. Todo mundo é diferente de todo mundo. Você pode amar uma pessoa sem saber que a ama porque vocês são muito diferentes e, por isso, existe uma distância muito grande. A distância é um desafio, é uma aventura; a distância faz com que a mulher ou o homem pareçam atraentes. Mas as coisas vistas a distância têm uma aparência diferente de quando vistas de perto.

Quando você está cortejando um homem ou uma mulher, tudo é lindo, tudo se encaixa porque ambos querem que tudo se encaixe. Se algo não se encaixa, não deixam que ela venha à superfície; ela é reprimida no inconsciente. Por isso os amantes que se sentam na praia para olhar a lua não

* Osho brinca com a semelhança entre o som das palavras *soul* (alma) e *cell* (cela).

conhecem um ao outro. O casamento está quase acabado quando a lua de mel chega ao fim.

No Oriente, onde a tradição do casamento arranjado ainda está em voga, não existe essa coisa de lua de mel; eles não dão sequer a chance para que o casamento termine logo. Os casais vão viver juntos e nunca nem sentem que as coisas não se encaixam, que algo está faltando. Não há nenhuma chance para que isso aconteça. Maridos e esposas não escolhem um ao outro; os casamentos são organizados pelos pais, pelos astrólogos, por todo tipo de gente exceto os próprios noivos.

Mesmo depois do casamento, o casal não pode se ver a sós à luz do dia, eles só podem se encontrar na escuridão da noite. Vivem com as famílias e estas são tão numerosas que eles só podem conversar aos sussurros; brigar está fora de questão. Não adianta atirar travesseiros; nenhuma mulher, nenhum homem dessas comunidades tradicionais sabe que os travesseiros têm de ser atirados, do contrário, que tipo de romance você tem? Ou que pratos têm de ser quebrados, ou que é preciso brigar por tudo e qualquer coisa. Você diz uma coisa e a mulher entende outra; ela diz algo e você entende outra coisa.

Mas nos casamentos modernos baseados em casos de amor, parece não haver comunicação. E eles começam com uma lua de mel, porque pela primeira vez vocês estão juntos 24 horas por dia. Agora não dá mais para fingir; têm que ser verdadeiros. Não podem representar. Quando vivem juntos, precisam ser verdadeiros um com o outro; não podem esconder, não podem ter segredos. E nos transmitiram, desde a infância, a ideia de que marido e mulher estão sempre em harmonia, tudo sempre vai bem, eles estão sempre juntos, se amando, sem brigas. Toda essa ideologia é um problema.

Eu gostaria de lhe dizer a verdade. A verdade é que todas as pessoas, sejam quem forem, são indivíduos diferentes. Se você ama alguém, tem de entender que essa pessoa não é a sua sombra, não é o seu reflexo no espelho, ela tem uma individualidade. A menos que você tenha um coração grande onde caiba alguém diferente de você, que possa ter ideias diferentes sobre as coisas, é melhor não arranjar problema desnecessariamente. É melhor ser padre ou freira. Para que se aborrecer? Para que criar um inferno na vida um do outro?

Mas só se cria o inferno porque se espera o céu.

Estou dizendo para aceitar que a situação é esta: a pessoa vai ser diferente. Você não é o mestre, nem ela é; ambos são parceiros que, apesar das diferenças, decidiram ficar juntos. E, na verdade, as diferenças apimentam o amor. Se você encontrar uma pessoa igualzinha a você, não se sentirá atraído. A outra pessoa tem de ser diferente, distante, um mistério que lhe convide a explorá-lo.

Quando dois mistérios se encontram e não existe mais a ilusão de que têm que concordar em tudo, não há mais razão para brigar. A briga surge porque vocês querem concordância.

Se vocês vivessem só como dois amigos, ela teria as ideias dela, você teria as suas; ela respeitaria as suas ideias e você respeitaria as dela; ela teria o jeito dela e você teria o seu e ninguém tentaria impor nada nem doutrinar um ao outro. Assim, não teriam por que brigarem nem motivo para que as coisas não se encaixassem. Por que deveriam se encaixar?

Por que você deveria sentir que algo está faltando? Nada está faltando; o que acontece é que você não teria essa ideia de que é preciso haver harmonia. A harmonia não é uma coisa muito legal, é algo chato. De vez em quando, se você briga, de vez em quando, mesmo que fique muito exaltado, isso não significa que não exista mais amor, significa simplesmente que o amor é capaz de absorver qualquer desentendimento, brigas, superar todos os obstáculos. Mas a velha ideologia atrapalha o seu entendimento.

Eu me lembro de uma antiga história bíblica que não é mencionada com frequência porque é muito perigosa. Primeiro, Deus fez um homem e uma mulher. Mas como se pode reparar observando este mundo, parece que Deus não foi muito inteligente. Nada se encaixa muito bem. Desde o início, você pode ver. Ele fez o homem e a mulher, duas pessoas, e deu a elas uma cama de solteiro, não deu uma cama de casal.

A primeira noite, logo no início, aconteceu uma grande briga, porque a mulher queria dormir na cama. O homem achava que ele devia dormir na cama e ela deveria dormir no chão. Passaram a noite toda brigando, batendo um no outro, atirando coisas, e pela manhã o homem disse a Deus, "Pedi para você me dar uma companheira, não uma inimiga. Se essa é a sua ideia de companheira, então quero lhe dizer que prefiro ficar sozinho. Não quero essa mulher; nunca viveremos em paz".

Ora, bastaria ele ter pedido uma cama de casal. Não entendo que tipo de Deus era aquele e o que esses idiotas estavam pedindo. A solução era simplesmente uma cama de casal ou duas de solteiro, se as coisas ficassem muito ruins. Mas, em vez disso, Adão disse, "Não quero essa mulher; ela está querendo ser igual a mim". O chauvinismo masculino nasceu naquela mesma noite.

Então Deus desmantelou a mulher – naturalmente, porque Deus também é chauvinista. O nome dela era Lilith. Ele a desmantelou assim como você desmantela qualquer mecanismo. Ele destruiu a mulher e disse, "Agora vou fazer outra mulher que será inferior a você e nunca exigirá igualdade". Então ele fez outra mulher, que era Eva, de uma das costelas de Adão. Da costela de Adão, ele fez a mulher, para que ela não pudesse exigir igualdade; ela não passava de uma costela.

Dizem que toda noite, quando Adão voltava para casa e ia dormir, Eva contava as costelas dele, com receio de que faltasse alguma; isso significaria que poderia haver outra mulher à solta.

Não é preciso mais do que uma amizade. O amor tem que se tornar uma relação de amizade em que ninguém é superior, ninguém vai decidir nada, ambos são conscientes de que são diferentes, de que a sua visão da vida é diferente, que pensam de modo diferente e ainda assim, com todas essas diferenças, o casal se ama.

Desse modo você não vai ter nenhum problema. Os problemas são criados por nós.

Não tente criar algo sobre-humano. Seja humano, aceite a humanidade da outra pessoa com toda a fragilidade a que ela está propensa. O seu parceiro cometerá erros assim como você, e vocês precisarão aprender. Viver junto com outra pessoa é um grande aprendizado: você aprende a perdoar, a esquecer, a entender que o outro é um ser humano como você. Basta saber perdoar.

Existe um antigo provérbio que diz, "Errar é humano e perdoar é divino". Eu não concordo. Errar é humano e perdoar também é humano. Perdoar é divino? – então você está colocando o perdão muito acima, muito além do alcance humano. Coloque-o dentro do alcance humano e aprenda a perdoar. Aprenda a apreciar o perdão, aprenda a se desculpar; você não perde nada quando diz ao seu par, "Me desculpe, eu estava errado".

Mas ninguém quer dizer, "Eu estava errado". Você sempre quer estar certo. O homem tenta provar por meio de argumentos que ele está certo e a mulher tenta provar por meio das emoções que ela está certa – gritando, chorando, soluçando, derramando lágrimas. E na maioria dos casos ela vence! O homem passa a ter medo dos vizinhos e só para acalmá-la – porque os filhos podem acordar –, ele diz, "Calma, talvez você esteja certa". Mas lá no fundo ele continua achando que tem razão.

Ser compreensivo significa saber que você pode estar errado, a mulher pode estar certa. O fato de ser homem não é uma garantia de que você tem poder e autoridade para estar certo; o mesmo pode-se dizer das mulheres. E se fôssemos um pouco mais humanos e um pouco mais amigáveis, e conseguíssemos dizer uns aos outros, "Desculpe"... E pelo que você está brigando? Por tão pouco! Algo tão trivial que, se alguém lhe pedisse para falar a respeito, você ficaria embaraçado.

Abandone simplesmente a ideia de que tudo tem que se encaixar, abandone a ideia de que tudo vai ser uma absoluta harmonia, porque essas não são boas ideias. Se tudo se encaixasse perfeitamente, vocês ficariam entediados; se tudo fosse harmonioso, a relação perderia todo o tempero. É bom que as coisas não se encaixem às vezes. É bom que exista uma lacuna para que sempre haja algo para explorar, algo para superar, e uma ponte precise ser construída. A vida toda pode ser uma grande exploração mútua, se aceitarmos as diferenças, o caráter único de cada indivíduo e não fizermos do amor uma escravidão, mas uma amizade.

Experimente a amizade, experimente a cordialidade; e lembre-se sempre: nada vai perturbar você. Quando vê uma mulher bonita, você se sente atraído; você deveria compreender que, se a sua mulher vir um homem bonito, ela também se sentirá atraída. Se vocês entenderem isso, vocês comentarão carinhosamente sobre a beleza dessa mulher, a beleza desse homem.

Mas neste momento o que acontece é que você pode adivinhar, a quilômetros de distância, se um casal é casado ou não. Quando se trata de um casal casado, o marido anda na rua com muita cautela e cuidado; ele não pode olhar para o lado, é como se tivesse um problema no pescoço. E a mulher vive olhando para onde ele está olhando, para o que ele está olhando e tomando nota de tudo. Isso é muito feio.

Eu estava viajando – estava indo para Caxemira – e no vagão do meu trem havia uma bela mulher. O marido dela ia até ela em todas as estações, com sorvete, bananas, maçãs. Na Caxemira as frutas são realmente ótimas!

Eu perguntei à mulher, "Há quanto tempo são casados?"

Ela disse, "Sete anos".

"Não minta para mim."

"Como assim? Por que eu mentiria para o senhor?"

"Esse homem vem até a senhora em todas as estações e com todas essas coisas... é evidente que não é seu marido."

Ela disse, "Como sabe?"

"Se fosse seu marido, principalmente se fossem casados há sete anos, assim que largasse a senhora neste vagão – só na última parada – se tivesse sorte – ele voltaria; a senhora não o veria a viagem toda. Por que ele viria até a senhora em todas as estações, com todas essas guloseimas?"

Ela disse, "Estranho, mas o senhor acertou. Ele não é meu marido; é marido de uma amiga minha, mas me ama. E o que está dizendo sobre os maridos é verdade. Isso aconteceu entre mim e o meu marido. Moramos juntos, mas nos sentimos a quilômetros um do outro; estou pensando em me divorciar".

Eu disse, "Não faça isso. Continue vivendo com ele e amando este homem, e não deixe que ele se divorcie da mulher. Ela provavelmente já está se encontrando com alguém também, por isso não se preocupe. A existência toma conta das coisas. Mas, se a senhora se divorciar do seu marido e se casar com este homem, não haverá mais sorvetes nem frutas, nem atenção ou amor; tudo isso acabará".

Se vocês forem simplesmente amigos e não fizerem dessa amizade uma relação estabelecida de marido e mulher, as coisas ficarão muito melhores, porque você não será um fardo para ninguém, nem um cativeiro. Não haverá essa questão de se ajustar um ao outro. Você pode ter a sua individualidade, ser totalmente independente da outra pessoa e mesmo assim amá-la.

E o fato de ser totalmente diferente na sua individualidade cria uma grande possibilidade para o amor.

?

Sempre que estou apaixonada por um homem, durante o tempo que dura essa paixão nenhum outro homem me atrai. Mas não acontece o mesmo com os homens. Embora esteja feliz e satisfeito, e queira manter o relacionamento comigo, ele tem casos amorosos a intervalos de alguns meses. Eu compreendo a natureza diferente do homem e da mulher. Também entendo que todo relacionamento amoroso tenha os seus altos e baixos. Mesmo assim, a tristeza não passa. Eu dou muita corda ao homem. As minhas amigas dizem que eu fico tão disponível que deixo que ele me desvalorize e perco o respeito por mim mesma. Eu não sou clara. Não espero nada dele. Você poderia fazer algum comentário, por favor?

Existem muitos itens na sua pergunta. Primeiro, você está enganada sobre a natureza dos homens. Você acha, como muitas pessoas do mundo todo, que o homem é polígamo e a mulher é monogâmica, que ela espera viver com um homem só, amar um homem só, dedicar-se totalmente a um homem só, mas o homem tem uma natureza diferente. Ele quer amar outras mulheres também, pelo menos de vez em quando.

A realidade é que ambos são polígamos. A mulher foi condicionada pelo homem há milhares de anos a achar que é monogâmica. E o homem é muito astuto; ele explorou a mulher de muitas maneiras. Uma delas é dizer à mulher que os homens são polígamos por natureza. Todos os psicólogos, todos os sociólogos concordam com o fato de que os homens são polígamos, e nenhum deles diz o mesmo das mulheres.

No meu entender, ambos são polígamos. Se uma mulher não se comporta como uma polígama, é por causa da sua criação, não da sua natureza. Ela está profundamente condicionada há tanto tempo que o condicionamento agora faz parte do seu sangue, dos seus ossos, até da sua medula. Durante séculos, a mulher teve de depender financeiramente do homem e o homem cortou as asas dela, restringiu a sua liberdade, solapou a sua independência. Ele assumiu as responsabilidades dela e mostrou grande amor dizendo, "Você não precisa mais se preocupar com nada, eu tomo conta de você". Mas, em nome do amor, ele tirou a liberdade da mulher. Durante séculos, a mulher foi proibida de receber instrução, de se qualificar para qualquer ofício, para qualquer especialidade; ela teve que depender financeiramente do homem. Até a sua liberdade de movimento foi restringida; ela não podia nem mesmo transitar como os homens; tinha que ficar confinada em casa. A casa era quase uma prisão.

E no passado, principalmente, ela estava sempre grávida, porque, de cada dez crianças, nove costumavam morrer. Para ter dois ou três filhos vivos, a mulher tinha que viver continuamente grávida, enquanto era capaz de procriar. Uma mulher grávida passa a ser mais dependente ainda, do ponto de vista financeiro; o homem passa a ser o seu provedor. O homem era instruído, a mulher não sabia nada. Ela era mantida na ignorância, porque conhecimento é poder; é por isso que as mulheres não recebiam instrução. E como o mundo era dos homens, eles todos estavam de acordo quanto a manter a mulher escravizada.

Disseram a ela que é monogâmica por natureza. Não existia nenhuma psicanalista, nem uma única mulher socióloga para refutar essa ideia e perguntar: se o homem é polígamo, por que a mulher deveria ser monogâmica? O homem se tornou polígamo inventando as prostitutas. No passado, era ponto pacífico que nenhuma mulher faria objeção caso o marido, de vez em quando, visitasse uma prostituta. Achava-se que isso era natural do homem.

Eu digo a você que ambos são polígamos. Toda existência é polígama, ela tem que ser – a monogamia é muito chata. Por mais bonita que seja uma mulher, por mais atraente que seja um homem, você se cansa – a mesma geografia, a mesma topografia. Por quanto tempo você precisa ver o mesmo rosto? É por isso que, à medida que os anos passam, o homem deixa de ser atencioso com a esposa.

Num novo mundo, não deverá haver casamentos, só amantes. E, enquanto estiverem felizes juntos, poderão ficar juntos; e, no momento em que acharem que estão juntos por tempo demais, uma pequena mudança virá a calhar. Não há essa questão de tristeza, de raiva, só uma profunda aceitação da natureza. E, se você amou um homem ou uma mulher, vai querer dar a essa pessoa a maior liberdade possível.

Se o amor não puder dar liberdade, não é amor.

Você diz, "A tristeza não passa. Eu dou muita corda ao homem". Ora, a própria ideia está errada. O seu homem é um cão a quem você dá muita corda? Você não pode dar liberdade, a liberdade é um direito inato de todos. A própria ideia, "Eu dou muita corda ao homem" – mas a corda ainda está na sua mão! Você é quem dá a liberdade.

Você não pode dar liberdade; só pode aceitar a liberdade da outra pessoa. Você não pode manter uma extremidade da corda na sua mão, enquanto observa o cachorro fazer xixi nesta árvore, fazer xixi na outra. Você acha que isso é liberdade? Não, a própria ideia está errada. A outra pessoa tem a liberdade dela; você tem a sua. Nem ele tem uma extremidade da corda nas mãos, nem você tem; do contrário, ambos estão acorrentados. A corda dele se tornará uma corrente e a sua também. E você acha que dá "corda suficiente". Acha que está sendo muito generosa!

A liberdade não é alguma coisa que você dê a outra pessoa. A liberdade é algo que tem que ser reconhecido como um direito da outra pessoa.

A liberdade de uma pessoa que você ama não ferirá você. Ela fere porque você não usa a sua própria liberdade. Não é a liberdade da outra pessoa que fere; o que fere é que, durante séculos, você tem sido incapacitada pelo condicionamento errado – você não pode usufruir da sua liberdade. O homem tirou toda a sua liberdade, esse é o verdadeiro problema. A sua liberdade tem que lhe ser devolvida e ela não ferirá; na verdade, você a apreciará.

A liberdade é uma experiência muito prazerosa. O seu amante está usufruindo da liberdade dele e você está usufruindo da sua; na liberdade vocês se encontram, na liberdade se afastam. E talvez a vida os leve a se reencontrar.

Se o homem se interessa por outra mulher, isso não significa que ele não ame mais você; significa simplesmente a vontade de mudar a rotina. De vez em quando, você gosta de ir a uma pizzaria. Isso não significa que não goste mais da comida que comia antes, mas de vez em quando é bom variar. Na verdade, depois de ir à pizzaria, você volta à mesa da sua casa com mais prazer. Leva alguns dias até você esquecer a experiência, e passados alguns dias quer pizza novamente. Esses casos não significam muito. A pessoa não pode viver só de pizza.

Os casais que se amam deveriam ter alguns casos amorosos de vez em quando. Esses casos renovariam o relacionamento, o revigorariam. Você começaria a ver novamente a beleza na sua esposa. Poderia começar a ter fantasias, sonhar em tê-la novamente. Você perceberia que não a compreendeu direito anteriormente; desta vez não vai se enganar. E o mesmo vale para o seu marido.

Na minha ideia de comunidade amorosa, as pessoas seriam absolutamente livres para dizer ao parceiro: "Eu gostaria de tirar dois dias de férias, e você também estará livre; você não precisa ficar sentado no sofá de casa". Se quiser meditar, isso é outra coisa; do contrário, já está interessado por tempo demais na mulher do vizinho. A grama verde do outro lado da cerca – fazia tanto tempo que você queria conhecê-la, agora a sua mulher está lhe dando uma chance! Você deveria dizer, "Você é maravilhosa! Tire umas férias e divirta-se. E eu vou à casa do vizinho, a grama é mais verde lá! Mas em dois dias você descobrirá que grama é grama e o seu gramado era muito melhor.

Mas uma experiência autêntica é necessária e, depois de dois dias, quando vocês se encontram, será o início de uma nova lua de mel. Por que não ter uma lua de mel todos os meses? Por que se satisfazer com uma única lua de mel na vida? Isso é estranho, e absolutamente antinatural. E o amor não é uma coisa ruim ou nociva a ponto de você ter que impedir a sua mulher de amar outra pessoa. É só divertido; não há muito com que se preocupar. Se ela quiser jogar tênis com alguém, deixe-a jogar! Eu não acho que fazer amor tenha mais importância do que jogar tênis. Na verdade, o tênis é muito mais purificador.

Você diz, "Eu não espero nada dele". Até na sua falta de expectativas existem expectativas implícitas. E elas são mais sutis e repressoras. Simplesmente, a pessoa tem que aceitar um simples fato: o seu parceiro é um estranho; é só por acidente que vocês estão juntos e você nunca espera nada de estranhos.

Ame-o o quanto possa. Nunca pense no futuro; e, se o seu amante sair por aí, você também está livre. E não se engane; alguma mulher pode dizer que não se sente atraída por outras pessoas quando está apaixonada? Talvez seja um desejo reprimido, talvez ela nunca o deixe vir à superfície; mas é impossível não se sentir atraído, porque existem muitas pessoas lindas neste mundo. Você apenas escolheu um estranho entre muitos estranhos.

Considere a liberdade um valor superior ao próprio amor. E, se isso for possível – e será porque é natural –, a sua vida não será um sofrimento. Será uma empolgação constante, uma exploração constante de novos seres humanos. Somos todos estranhos: ninguém é marido, ninguém é esposa. Nenhum tabelião idiota, só porque cola um selo num papel, pode fazer de vocês marido e mulher. E, depois que esse homem colou o selo, se quiser se separar você terá de ir a outro idiota – grandes idiotas! – e esperar meses ou anos para se separar. Que estranho! Trata-se da sua vida particular; não é o negócio de nenhum tabelião, de nenhum juiz. Por que você continua colocando a sua liberdade nas mãos dos outros?

Você diz, "As minhas amigas dizem que eu fico tão disponível que deixo que ele me desvalorize e perco o respeito por mim mesma". As suas amigas não entendem uma coisa, e elas não são suas amigas, porque o conselho delas é o de inimigas.

A pessoa precisa se manter totalmente disponível. As suas amigas estão dizendo que, se o seu homem quer fazer amor com você, um dia você deve dizer que está com dor de cabeça. No outro dia, deve dizer que está cansada demais; no terceiro dia, que não está com disposição. Esnobe o homem – "Não dê corda demais a ele" –, dê só um pouquinho, e um belo sininho no pescoço com o seu nome escrito nele e a inscrição, "Mantenha distância. Propriedade privada".

O que você quer dizer por "disponível"? Você precisa estar disponível para a pessoa que ama, e, se de vez em quando ele sente vontade de mudar, aproveite e deixe que ele vá alegremente. Isso fará com que você tenha respeito por si mesma e dignidade.

Uma mulher divorciada, frustrada com a sua vida de casada, coloca um anúncio num jornal de bairro onde se lê, "Procuro um homem que não me bata, que não fique o tempo todo andando atrás de mim e que seja um amante fantástico".

Depois de uma semana, tocam a campainha da casa dela. Ela atende à porta e não vê ninguém. Então fecha e se afasta um pouco quando a campainha toca novamente.

Ao abrir outra vez a porta, não vê ninguém, mas por acaso olha para baixo e nota um homem sem braços e sem pernas nos degraus da porta.

"Vim por causa do seu anúncio", ele diz.

A mulher fica sem saber o que fazer ou dizer.

Então o homem acrescenta, "Como pode ver, não posso bater em você nem ficar andando o tempo todo atrás de você".

"Sim, isso eu posso ver, mas o anúncio também dizia que eu quero um amante fantástico."

O homem sorri e diz, "Eu toquei a campainha, não toquei?"

Embora eu esteja muito satisfeita e bem-nutrida com a minha alimentação diária, de tempos em tempos sinto um impulso quase irresistível para experimentar outros pratos, e gosto de pizza

? **italiana, vinho francês, sushi japonês. Não é que eu não queira comer fora de vez em quando, é que eu gostaria de ter controle sobre isso em vez de ser vítima de uma conspiração hormonal. Você poderia me dar uma dica sobre como superar esses impulsos biológicos?**

Se a pessoa deixar que a natureza siga o seu curso sem nenhuma inibição, ela transcenderá a biologia, o corpo, a mente, sem fazer nenhum esforço. Mas somos cheios de inibições. Até os jovens, que não admitem repressões, são repressores de um modo muito sutil. Se você é repressor, não pode transcender os impulsos biológicos naturalmente, sem fazer nenhum esforço. Portanto, a primeira coisa a lembrar é que a natureza está certa.

Todas as antigas tradições vivem lhe dizendo que a natureza não está certa. Você tem que dividir a natureza em certo e errado. Mas a natureza é indivisível. Portanto, enquanto está dividindo, você está simplesmente fazendo um esforço impossível. Toda a natureza tem que ser aceita com grande alegria e gratidão. A biologia não é o seu cativeiro, mas um certo estágio de crescimento.

A vida vivida com discernimento e compreensão ajuda você a superá-la sem exigir nenhuma disciplina, nenhum esforço, nenhum conflito árduo. Somos filhos da natureza. Mas todas as religiões criaram certamente uma coisa: uma mente dividida, um homem esquizofrênico que é puxado em duas direções. Todas elas lhe deram moralidades.

O homem natural não precisa de moralidade. O fácil é o certo. Ser natural, ser espontâneo é certo e a transcendência vem por si só. As pessoas que são separadas delas mesmas – essa biologia é algo a se transcender, esse corpo é algo a se combater, essa mente é algo do qual se livrar –, todo mundo que está enredado em todos esses conflitos nunca os transcenderão.

A pessoa precisa seguir com mais facilidade. Não é um campo de batalha. A sua vida é um crescimento autônomo. A primeira necessidade é a total aceitação sem nenhuma relutância, sem má vontade, sem nenhuma condenação sutil nos recônditos da sua mente.

Você está dizendo, "Embora eu esteja muito satisfeita e bem-nutrida com a minha alimentação diária..." Você diz que está muito satisfeita, mas não entende as nuances de estar muito satisfeita. Isso se torna um tipo de morte. Para viver, a pessoa precisa de um pouco de descontentamento, de um pouco de inquietação. Se você estiver muito satisfeita, dessa satisfação profunda brotará o desejo de variar o cardápio de vez em quando.

O homem é uma criatura de evolução e crescimento. A satisfação profunda provoca uma parada na sua vida. A sua parceira tem uma individualidade, uma graça, um coração amoroso, e é muito fácil ficar satisfeito com ela; ela não é uma pessoa belicosa, briguenta. Ela própria é tranquila, e qualquer pessoa que a ame logo ficará tranquila também. Surge uma harmonia; no entanto, a harmonia por um lado é bela e, por outro, é entediante.

Talvez você nunca tenha parado para pensar que a satisfação é um tipo de morte. Significa que você está disposto a repetir a mesma coisa todo dia, que você se esqueceu de mudar, de evoluir.

"...de tempos em tempos sinto um impulso quase irresistível para experimentar outros pratos, e gosto de pizza italiana, vinho francês, sushi japonês." É absolutamente natural. O problema está surgindo porque você está condicionado a pensar que, se está absolutamente satisfeito com uma mulher, por que deveria reclamar? Por que o desejo por outras mulheres ainda aflora em você? Aflora por causa da sua satisfação profunda. A satisfação profunda começa a deixá-lo numa apatia; nenhuma novidade, nenhum excitamento, nenhuma possibilidade de dizer "Não"; sempre "Sim". Por um lado, ela é muito doce; por outro, ela é doce *demais*.

Consequentemente, aflora de vez em quando o desejo para ter um caso com outra mulher. É absolutamente natural. Se a sua parceira fosse uma pessoa briguenta, queixosa, insuportável, esse desejo não seria tão frequente, pois ela não deixaria que ele fosse satisfeito. Ela o manteria sempre insatisfeito; ela continuaria sendo sempre uma estranha, alguém a se conhecer. Eu a conheço. Ela está aberta para você, disponível para você; não guarda segredos. Isso não é um defeito, é a beleza dela. Mas até a rosa mais bela tem espinhos, até as situações mais satisfatórias tem os seus problemas.

Como você está muito satisfeito, começa a querer mudar o cardápio: pizza italiana, vinho francês, sushi japonês. Não há nada de errado nisso. Todo o condicionamento vai contra o que eu estou lhe dizendo, mas se for inteligente, você entenderá.

Aceite isso, mas não o guarde em segredo da sua amada. Não a deixe chateada. Não faça com que ela sinta que não basta para você. Diga a ela, "Você me completa, mas a minha mente quer uma ligeira mudança na atmosfera, um pouco de excitamento, para que eu possa me sentir vivo". E, lembre-se, o que vale para você, tem que valer para ela também. Não é unilateral, não é só você que vai à pizzaria ou a um restaurante chinês; você permite que ela vá também. E não se trata apenas de uma permissão. A mulher tem sido tão reprimida pelo homem que você terá que pressioná-la a sair do condicionamento. Você terá que ajudá-la a buscar, de vez em quando, novas paisagens. Se fizer isso você não estará apenas aceitando a sua natureza; estará ajudando-a também a descobrir a dela.

Como homem, você também se sente culpado, porque foi o homem que forçou a mulher, que a tornou monogâmica. Na verdade, ela precisa se aproximar de outras pessoas ainda mais do que você. A maior descoberta relacionada a homens e mulheres foi a de que o homem só pode ter um orgasmo, enquanto a mulher pode ter orgasmos múltiplos. A razão disso é simples: com o orgasmo, o homem perde energia; de acordo com a idade, ele precisa de um tempo para se recuperar, para que possa ter outro orgasmo. Mas a mulher não perde energia nenhuma. Pelo contrário, o primeiro orgasmo dá a ela um grande incentivo para ter muitos outros, e ela é capaz de ter pelo menos uma meia dúzia por noite.

Como isso é um fato, o homem se sentiu tão ameaçado que impediu a mulher de saber da existência de algo como o orgasmo. Por isso ele é muito rápido ao fazer amor. A mulher levaria um tempo um pouquinho maior: a sexualidade do homem é localizada, genital; a sexualidade da mulher está distribuída pelo corpo todo. Se o homem quer que ela tenha um orgasmo, ele precisa lhe estimular o corpo todo, concentrar-se nas preliminares, para que todo o corpo dela comece a palpitar com energia.

Contudo, depois que ela teve um orgasmo, sente o gosto e sabe que agora pode ter orgasmos mais profundos. Mas o homem fica simplesmente impotente depois do primeiro orgasmo, pelo menos por algumas horas. Ele não pode fazer mais nada, só virar de lado e dormir. O pobre garotão fica acabado. E toda mulher lamenta, chora, porque ela nem sequer gozou e o amante já acabou!

Para evitar que a mulher conhecesse o orgasmo – durante séculos ela não teve sequer permissão para conhecer a beleza e o prazer do orgasmo –, o homem também teve de se impedir de senti-lo. Tudo o que ele conhece é a ejaculação; ejaculação não é orgasmo. Ejaculação é simplesmente a expulsão de energia; o homem se sente mais relaxado, as tensões da energia se vão e ele ronca melhor.

A mulher só tomou conhecimento do orgasmo no século XIX, e isso se deve ao movimento psicanalítico. Nos países orientais mais tradicionalistas, 98% das mulheres ainda não sabem que existe algo como fazer amor, pois elas não têm nenhuma experiência, nunca provaram. Elas, na verdade, detestam a coisa toda. Não é ela que precisa ejacular, é o homem; mas ambos se mantiveram privados de sexo e de experiências orgásticas supremas.

Mas o problema é: como lidar com isso? Tudo parece muito imoral. Ou você convida todos os seus amigos, para que cinco ou seis façam amor, um de cada vez, com a mulher. Então ela ficará satisfeita, mas o ego ficará muito ferido. Ou você tem que providenciar para ela um vibrador elétrico. Mas depois que ela conhece o vibrador, você passa a não ter mais serventia, pois o vibrador dá a ela experiências orgásticas tremendas, que você nunca poderá lhe dar.

Parece que a própria natureza está errada; homens e mulheres são muito diferentes na sua capacidade orgástica. Você está totalmente satisfeito, mas já parou para pensar se a sua amada conseguiu chegar a pelo menos um orgasmo? Porque, se ela não conseguiu, pode continuar devotada a você, monogâmica. Mas, se ela souber o que significa um orgasmo, também vai querer, de vez em quando, ter outro homem.

Se você ama a sua mulher, ajude-a a romper com os seus antigos condicionamentos, que são muito mais profundos, porque o homem é responsável por eles. Ele próprio não tem esses condicionamentos; a sua moralidade é muito superficial e hipócrita. Mas a moralidade da mulher é muito mais profunda. O homem a impõe à mulher desde a infância. Se você pensa em mudar esse condicionamento, a responsabilidade é sua; e principalmente um homem do seu entendimento deve ser capaz de entender o que eu estou dizendo. É sua responsabilidade fazer com que Neelam também saia no sol, na chuva, no vento, para que ela possa romper com todos os condicionamentos. Você precisa ajudá-la; tem que ensiná-la a gostar da pizzaria e não continuar a comer só comida caseira durante toda a vida. Como apreciar comida chinesa ou japonesa? Se o homem e a mulher realmente se amarem, eles ajudarão um ao outro a romper com os condicionamentos do passado.

O homem não tem muitos condicionamentos, e eles são superficiais. Pode descartá-los muito facilmente, assim como você tira uma roupa. A mulher foi tão condicionada que para ela não se trata apenas de tirar uma roupa; é como tirar a própria pele. É difícil e, a menos que você realmente ame a mulher, você não conseguirá ajudá-la muito. Será muito difícil, para ela, se livrar de todos esses condicionamentos sozinha; portanto, ajude-a. Faça-a descobrir também que, neste mundo, existem muitas outras iguarias; muitos outros homens belos além de você. A sua mulher deve conhecer todos eles. Faz parte do seu amor levar a sua mulher a se tornar cada vez mais rica em suas experiências. E quanto mais rica for, ela não apenas lhe dará satisfação; ela começará lhe dar empolgação e êxtase.

Você diz, "Não é que eu não queira comer fora de vez em quando, é que eu gostaria de ter controle sobre isso..." Você tem controle, mas só tem controle quando o seu parceiro também tem. No meu modo de ver, é preciso que haja oportunidades iguais para ambos. Não é que você seja o mestre e a sua parceira, a sua escrava; que ela possa ficar satisfeita com você e você possa, de vez em quando, perambular pela vizinhança. Ela tem o mesmo direito de perambular pela vizinhança! E não há por que sentir culpa; você tem que ajudá-la a não sentir culpa.

A libertação da mulher será a libertação do homem também; a escravidão de um é a escravidão do outro. Se você não deixa a sua mulher ser livre, como você pode ser livre? A liberdade precisa ser, de ambos os lados, um valor precioso – amada, reconhecida, respeitada.

Você diz, "...e não uma vítima de uma conspiração hormonal". Se você quer transcender os hormônios e a biologia, viva plenamente, esgote-a.

No meu entender, ali pelos 14 anos os hormônios começam a despertar e, se você tiver liberdade total, se viver feliz prazerosamente com eles até os 42, eles vão querer descansar. E essa transcendência será natural; não será um celibato imposto. Será um celibato sagrado que vem até você de muito além, pois você viveu a sua vida plenamente e, agora, nada que diga respeito à vida comum o interessa. O seu interesse está nos valores mais elevados, na busca mais profunda da vida, na verdade, na criatividade. Você superou os anos de infantilidade. Ao chegar aos 42 anos, no meu modo de ver, um homem realmente se torna adulto, mas isso só acontece se ele vive naturalmente. Se não vive plenamente, então demorará um pouco mais, talvez aos 49, talvez aos 75. Talvez até no momento da morte ele esteja pensando apenas em sexo e nada mais; nunca o transcenderá.

Vocês dois são pessoas lúcidas e podem ver as coisas sem traves nos olhos, com clareza. Amem-se plenamente, e de vez em quando deixem que o outro seja livre. Mas isso tem que acontecer de ambos os lados. E não vai destruir o amor de vocês; vai deixá-lo mais rico, mais profundo, mais gratificante, mais orgástico. E essas ocasiões em que tirarem umas férias um do outro não vão afastá-los; pelo contrário, vão aproximá-los ainda mais. Não tenham nenhum segredo, sejam absolutamente abertos, e deixem que a outra pessoa também seja absolutamente aberta, e respeite a abertura. Nunca, nem mesmo por gestos, faça com que a outra pessoa se sinta culpada. Esse é o maior crime que a humanidade está cometendo: fazer com que as pessoas se sintam culpadas. Se o outro sente culpa por causa de conceitos muito arraigados, ajude-o a se livrar da culpa.

O amor vivido numa atmosfera de liberdade levará naturalmente à transcendência do sexo, facilmente, sem exigir nenhum esforço. O amor persistirá, o sexo deixará de existir, e então o amor passará a ter uma pureza, uma beleza, uma sacralidade só sua.

Viva a vida com menos seriedade e mais bom humor. Deixe que ela vire uma bela piada. Não há nada de errado na natureza, e ser natural é ser religioso.

Vocês dois são inteligentes, e eu espero que comprovem a minha hipótese de que podem se amar e, mesmo assim, ter alguns casos amorosos de vez em quando – com alegria, não com relutância. Não porque eu estou dizendo para que tenham, apenas em resultado do seu próprio entendimento.

? **Eu tenho a impressão de que nunca serei capaz de ir além da atração biológica, sexual, que você chama de "luxúria" e chegar ao amor de que você fala. Como isso acontece? Por onde eu começo?**

Sexo é um assunto sutil, delicado, porque séculos de exploração, corrupção, séculos de ideias pervertidas e condicionamentos são associados a essa palavra, "sexo". A própria palavra é carregada de sentido, é uma das palavras mais carregadas que existem. Você diz "Deus" e a palavra parece vazia. Você diz "sexo" e ela parece carregada. Um milhão de coisas lhe vem à mente: medo, perversão, atração, um tremendo desejo e um tremendo antidesejo também. Todas as coisas vêm juntas. "Sexo" – a própria palavra cria confusão, caos. É como se alguém atirasse uma pedra num lago cristalino e a palavra criasse milhões de ondulações! A humanidade vive sob a influência de ideias muito equivocadas.

Portanto, a primeira coisa a considerar é, por que você pergunta como ir além das sensações sexuais? Por que você quer transcender a sexualidade? Você está usando um termo bonito – "ir além" –, mas, de centenas de possibilidades, 99% são de que ela signifique "como reprimir a minha sexualidade?"

Uma pessoa consciente de que o sexo pode ser transcendido jamais se preocupará em ir além dele, porque a transcendência é fruto da experiência. Não há nada que você possa fazer a respeito disso. Não se trata de algo que você *faça*. Você simplesmente passa por muitas experiências e essas experiências tornam você cada vez mais maduro.

Você já observou que, numa certa idade, o sexo se torna importante? Não é que você o faça ter importância. Não é algo que você *faça* acontecer; simplesmente *acontece*. Aos 14 anos, ou algo em torno disso, de repente a sua energia passa a transbordar sexo. É como se tivessem aberto comportas dentro de você. Fontes sutis de energia que não estavam abertas antes agora se abrem e toda a sua energia se torna sexual, tingida de sexo. Você pensa em sexo, canta o sexo, caminha o sexo – tudo se torna sexual. Todo ato é permeado de sexo. Isso *acontece*; você não faz nada para que aconteça. É natural. E a transcendência também é natural. Se o sexo for vivido plenamente, sem condenação, sem a ideia de que é preciso se livrar dele, então ali pelos 42 anos – assim como aos 14 a porta do sexo se abriu e toda a energia se tornou sexual, aos 42 ou perto disso – essas comportas começam a se fechar novamente. E isso é tão natural quanto o despertar do sexo; ele começa a sair de cena.

A sexualidade não é transcendida por meio do esforço. Se você fizer esforço, isso será repressor, porque não tem nada a ver com você. Está embutido – no seu corpo, na sua biologia. Você nasceu como um ser sexual; não há nada de errado nisso. Esse é o único jeito de se nascer. Ser humano é ser sexual. Quando você foi concebido, a sua mãe e o seu pai não estavam rezando, não estavam ouvindo um sermão do padre. Eles não estavam na igreja, estavam fazendo amor. Até pensar que a sua mãe e o seu pai estavam fazendo amor quando você foi concebido parece difícil, eu sei, mas eles estavam; as energias sexuais deles estavam se encontrando, se fundindo. Então você foi concebido; nesse ato sexual profundo você foi concebido. A primeira célula era uma célula sexual, e depois dessa célula outras células vieram. Mas cada célula continuou sendo sexual, basicamente. Todo o seu corpo é sexual, feito de células sexuais. Agora elas são milhões.

Lembre-se: você existe como um ser sexual. Depois que aceitar isso, o conflito criado ao longo dos séculos se dissolverá. Depois que aceitar isso profundamente, sem ideias interferindo, quando o sexo for considerado algo simplesmente natural, então você o *viverá*. Você não pergunta como ir além da vontade de comer, não pergunta como transcender a necessidade de respirar, porque nenhuma religião o ensinou a transcender a respiração. É por isso, do contrário você estaria perguntando, "Como eu faço para ir além da respiração?" Mas você não pergunta, simplesmente respira! Você é um animal que respira. É um animal sexual também. Mas existe uma diferença. Quatorze anos da sua vida, o próprio começo dela, foram quase assexuais, ou existia apenas um jogo sexual rudimentar, que não era sexual de fato – só preparação, ensaio, mais nada. Aos 14 anos, a energia está madura.

Observe: a criança nasce e imediatamente, depois de alguns segundos, ela tem que respirar; do contrário, morre. E a respiração continua pelo resto da vida, porque ela surgiu no primeiro momento da vida. Não pode ser transcendida. Talvez antes de morrer, só alguns segundos antes, ela pare, mas não antes disso.

Lembre-se sempre: os dois extremos da vida, o começo e o fim, são simétricos. A criança nasce, começa a respirar em questão de segundos. Quando a pessoa está velha e moribunda, no momento em que para de respirar, está morta.

O sexo entra em cena numa etapa relativamente tardia: durante doze, quatorze anos, a criança vive sem sexo. E, se a sociedade não for reprimida e portanto obcecada por sexo, a criança pode viver ignorando o fato de que o sexo, ou qualquer coisa assim, exista. A criança pode permanecer totalmente inocente. Essa inocência também não é possível nos dias de hoje, porque as pessoas são muito reprimidas. Quando a repressão acontece, de lado a lado a obsessão também acontece. De um lado estão os padres, que vivem condenando o sexo, e do outro lado os que são contra os padres, como Hugh Hefner e outros, que vivem tornando a sexualidade cada vez mais glamorosa. O padre e Hugh Hefner vivem juntos, são os dois lados da moeda. Só quando não existirem mais igrejas, a revista *Playboy* também deixará de existir, não antes disso. Eles são sócios no mesmo negócio! Parecem inimigos, mas não se deixe enganar. Eles falam mal um do outro, mas é assim que as coisas funcionam.

Eu ouvi falar de dois negociantes que fecharam as portas, tinham falido, e então decidiram abrir outro negócio novo e mais simples. Começaram a viajar de cidade em cidade. Um deles chegava à noite e jogava piche nas janelas e portas das casas. Depois de dois ou três dias, o outro chegava na mesma cidade, anunciando que limpava qualquer sujeita das casas, até piche. As pessoas então começavam a contratá-lo, enquanto o sócio já iniciava a sua parte do negócio em outra cidade. Dessa maneira, eles começaram a ganhar muito dinheiro.

Isso é o que acontece entre a igreja e as pessoas que criam a pornografia. Eu ouvi:

A linda senhorita Keena ajoelhou-se no confessionário. "Padre, eu quero confessar que deixei meu namorado me beijar."

"Foi só isso?", perguntou o padre, muito interessado.

"Bem, não. Deixei também que ele colocasse a mão na minha perna."

"E depois?"

"Depois deixei que ele tirasse a minha calcinha."

"E depois... e depois...?", perguntou o padre, palpitando de excitação.

"Depois a minha mãe entrou na sala."

"Ah, droga...", suspirou o padre.

Eles estão juntos; são cúmplices de uma conspiração. Sempre que se reprime demais, você começa a alimentar um interesse perverso. O interesse perverso é que é o problema, não o sexo. Ora, esse padre é neurótico. Sexo não é problema, mas esse homem está com problema.

As freiras Margaret Alice e Francis Catherine estavam andando na calçada quando foram agarradas por dois homens e arrastadas para um beco escuro. "Pai, perdoe-os", disse a irmã Margaret Alice, "pois não sabem o que fazem".

"Cala a boca!", gritou a irmã Catherine, "Este aqui sabe muito bem!"

A situação com certeza é essa. Por isso nunca alimente nenhuma ideia contra o sexo na sua cabeça, do contrário você nunca será capaz de transcendê-lo e avançar em direção ao amor. As únicas pessoas capazes de transcender a "atração sexual meramente biológica" são aquelas que aceitam o sexo muito naturalmente. É difícil, eu sei, porque você nasceu numa sociedade que é neurótica com relação ao sexo. Ou ele é condenado ou glamorizado, mas das duas maneiras é neurótico. É muito difícil sair dessa neurose, mas se você estiver um pouquinho alerta pode conseguir.

Portanto, o importante não é saber como transcender o sexo, mas como transcender essa ideologia pervertida da sociedade – esse medo do sexo, essa repressão do sexo, essa obsessão por sexo.

O sexo é belo. Ele, propriamente, é um fenômeno natural, rítmico. Acontece quando a criança está pronta para ser concebida e é muito bom que aconteça; do contrário a vida não existiria. A vida existe por meio do sexo; o sexo é o veículo. Se você entende a vida, se ama a vida, sabe que o sexo é sagrado, sacrossanto. Então você o viverá e se deliciará com ele; e tão naturalmente como chegou, ele sairá de cena naturalmente. Ali pelos 42 anos, ou algo em torno disso, o seu interesse por sexo começará a diminuir tão naturalmente quanto um dia despertou.

Mas não acontece desse jeito. Causa surpresa quando digo 42 anos. Você conhece pessoas com 70, 80 anos que ainda não foram além dessa obsessão por sexo. Você conhece alguns "velhos sacanas". Eles são vítimas da sociedade, porque não puderam ser naturais. É como uma ressaca, porque reprimiram a sexualidade quando deveriam usufruir dela e se deleitar com ela. Nesses momentos de deleite sexual, eles não estavam totalmente nela. Não foram orgásticos, não mostraram entusiasmo.

Sempre que você não mostra entusiasmo por alguma coisa, ela demora mais para acabar. Se você está à mesa, comendo, mas não come com entusiasmo, a sua fome não será saciada. Você continuará pensando em comida durante o dia todo. Tente jejuar e você verá: continuará pensando em comida! Mas, se comeu bem, e quando digo isso não quero dizer apenas que você tenha enchido a barriga. Você pode comer até se fartar, mas comer bem é uma arte. Não é só se empanturrar de comida, é uma grande arte – provar a comida, sentir o seu aroma, tocá-la, mastigá-la, digerir o alimento, e digerir é divino. É divino; uma dádiva.

Os hindus dizem *Anam Brahma*, a comida é divina, uma dádiva de Deus. Com profundo respeito você come e, quando come, se esquece de tudo mais, porque comer é uma prece. É uma prece existencial. Você está se alimentando de Deus, e Deus vai nutri-lo. É uma dádiva a ser aceita com profundo amor e gratidão.

E você não empanturra o corpo, porque isso seria ir contra o corpo. É o outro polo. Existem pessoas que têm obsessão por jejum, e existem outras que têm obsessão por comida. Ambas estão erradas, porque das duas maneiras o corpo se desequilibra. Alguém que realmente ame o corpo come só até que ele se sinta calmo, equilibrado, tranquilo; não pese para um lado nem para o outro, fique simplesmente no meio. É uma arte entender a linguagem do corpo, entender a linguagem do estômago, entender o que é necessário e alimentá-lo apenas com o que é necessário, e de um modo artístico, estético.

Os animais comem, o homem come – qual a diferença? O homem faz do ato de se alimentar uma grande experiência estética. Para que uma mesa bem posta? Por que velas acesas? Por que convidar amigos para participar? É para fazer desse ato uma arte, não apenas um momento de encher a barriga. Mas esses são apenas os sinais externos dessa arte; os internos são compreender a linguagem do corpo e ouvi-lo, ser sensível às suas necessidades. Então você come, e não pensará mais em comida o dia inteiro. Só quando o corpo tiver fome outra vez que essa lembrança despertará. Aí será natural.

Com o sexo acontece a mesma coisa. Se você não tiver nenhuma atitude "antissexo", então ele será uma dádiva divina, natural. Com uma grande gratidão você usufrui dele; com uma atitude reverente você o usufrui.

O Tantra diz que, antes de fazer amor com uma mulher ou com um homem, você deveria primeiro rezar, pois está prestes a viver um encontro de energias. Uma fragrância de divindade o cercará. Onde quer que existam dois amantes, existe a divindade. Onde quer que dois amantes se encontrem e se fundam, existe vida, vibração, em sua potência máxima – uma energia divina cercando você. As igrejas estão vazias, mas as alcovas de amor estão cheias de divindade. Se você provou o amor da maneira como o Tantra diz para prová-lo, se conheceu o amor da maneira como o Tao diz para conhecê-lo, então, na época em que tiver 42 anos, o sexo começará a desaparecer por conta própria. E você dirá adeus a ele com uma profunda gratidão, porque estará preenchido. Foi delicioso, foi uma bênção; e você se despede.

E 42 anos é a idade para a meditação, a idade certa. O sexo desaparece e essa energia transbordante não está mais presente. A pessoa fica mais tranquila. A paixão se foi e agora surge a compaixão. Agora não existe mais a febre; a pessoa não está mais tão interessada no "outro". Como não há mais sexo, o outro não é mais o foco. A pessoa começa a se voltar para a sua própria fonte; começa a viagem de volta.

O sexo é transcendido não com base no esforço. Isso acontece se você o tiver vivido plenamente. Por isso a minha sugestão é: abandone toda condenação, todas as atitudes contrárias à vida e aceite os fatos: o sexo existe, por isso quem é você para negá-lo? E quem está tentando negá-lo, ir além dele? É apenas o ego.

Lembre-se, o sexo cria um grande problema para o ego. Existem dois tipos de pessoa: as muito egocêntricas são sempre contra o sexo; pessoas humildes nunca são contra ele. Mas quem ouve os humildes? Na verdade, os humildes não saem por aí fazendo pregações, só os egocêntricos.

Por que existe um conflito entre o sexo e o ego? Porque o sexo é algo na sua vida em que você não pode ser egocêntrico, em que o outro passa a ser mais importante que você. A sua mulher, o seu homem, torna-se mais importante que você. Em todos os outros casos, *você* é a pessoa mais importante. Num relacionamento de amor, o outro torna-se muito, mas muito importante, extremamente importante. Você se torna um satélite, e o outro se torna o núcleo; e o mesmo acontece com a outra pessoa: você se torna o núcleo e ela se torna o satélite. Trata-se de uma entrega mútua. Ambos se rendem ao Deus do amor, e ambos se tornam humildes.

O sexo é a única energia que lhe dá uma pista de que existe alguma coisa que você não pode controlar. O dinheiro você pode controlar, a política você pode controlar, os negócios você pode controlar, o conhecimento você pode controlar, a ciência, a moralidade, todas essas coisas você pode controlar. O sexo transporta você a um mundo completamente diferente; você não consegue controlá-lo. E o ego é um grande controlador. Ele fica feliz quando consegue controlar; fica infeliz quando não consegue. Por isso existe o conflito entre o ego e o sexo.

Lembre-se, trata-se de uma batalha perdida. O ego não pode vencê-la, pois ele é apenas superficial. O sexo tem raízes profundas. O sexo é a sua vida; o ego é apenas a sua mente, a sua cabeça. O sexo tem raízes em todo o seu ser; o ego tem raízes apenas nas suas ideias – é muito superficial, está só na sua cabeça.

Portanto, quem está tentando ir além da atração sexual, biológica? A cabeça está tentando controlar o sexo. Se você está muito na cabeça, então quer transcender as sensações sexuais porque o sexo traz a sua atenção de volta para o corpo. Ele não deixa que você continue na cabeça. Todo o restante você pode controlar dali; o sexo você não pode. Você não pode fazer amor com a cabeça. Tem que descer mais um pouco, descer das alturas e chegar mais perto da terra.

O sexo é humilhante para o ego, por isso as pessoas egocêntricas são sempre contra o sexo. Elas vivem encontrando caminhos e meios para transcendê-lo. Mas nunca conseguem. Podem, no máximo, tornar-se pervertidos. Nenhum esforço vai adiantar.

Eu ouvi:

Um patrão estava entrevistando candidatas para substituir a sua secretária particular, que estava entrando de licença por causa da gravidez. O seu auxiliar direto sentou-se ao lado dele, enquanto ele avaliava as candidatas. A primeira moça era uma loura bonita e de seios fartos. Ela revelou inteligência e ótimos conhecimentos como secretária. A segunda era uma beldade de cabelos castanhos, ainda mais brilhante e competente do que a primeira. A terceira era estrábica, tinha dentes tortos, pesava mais de cem quilos e quase não tinha qualificações. Depois de entrevistar todas as três candidatas, o chefe informou ao colega que tinha optado pela terceira candidata.

"Mas por quê?", perguntou o outro, consternado.

"Bem", explodiu o chefe, "em primeiro lugar, ela parece bem inteligente para mim! Em segundo lugar, não é da sua conta e, em terceiro, ela é irmã da minha mulher!"

Portanto, você pode fingir que levou a melhor sobre o sexo, mas no fundo a verdade é outra. Você pode racionalizar, pode encontrar razões, pode fingir, pode criar uma crosta em torno de você, mas lá no fundo a razão de verdade, a realidade, permanece intocada: "Ela é a irmã da minha mulher" – essa é a razão verdadeira. "Ela parece inteligente" – é só uma racionalização. E "não é da sua conta" – é a prova de que você está aborrecido e irritado porque tem medo de que o outro possa descobrir a verdade! Mas a verdade virá à tona não importa o que você faça; você não pode escondê-la, é impossível.

Por isso você pode tentar controlar o sexo, mas uma subcorrente de sexualidade percorrerá o seu ser e se mostrará de muitas maneiras. Apesar de todas as racionalizações, ela virá à superfície.

Eu sugiro que você não faça nenhum esforço para ir além do sexo. O que eu sugiro é justamente o contrário: esqueça isso de ir além do sexo. Mergulhe nele o máximo de que for capaz. Enquanto a energia estiver presente, vá o mais fundo possível, ame o mais profundamente que puder e faça disso uma arte. O amor não é algo que você simplesmente "faça".

Esse é todo o significado do Tantra: fazer do ato de amor uma arte. Existem nuanças sutis que só as pessoas com grande senso estético podem conhecer. Do contrário, você pode fazer amor a vida toda e mesmo assim continuar sentindo insatisfação, porque não sabe que a verdadeira satisfação é algo extremamente estético. É como uma música sutil que brota da alma. Se por intermédio do amor você entra em harmonia, se por intermédio do amor você libera as tensões e relaxa, se o amor não é apenas um extravasamento de energia, porque você não sabe o que mais fazer com ele, se ele não é apenas um alívio mas também um relaxamento, se você relaxa com o seu parceiro e o seu parceiro relaxa com você, se durante alguns segundos, por alguns instantes ou algumas horas você se esquece de quem é e sente um completo alheamento, você voltará de tudo isso como uma pessoa muito mais pura, mais inocente, mais virgem. E terá um tipo diferente de existência: mais suave, centrada e enraizada.

Se isso acontecer, um dia, de repente, você verá que a inundação passou e deixou o seu ser muito mais rico e fértil. Você não lamentará o seu fim. Sentirá gratidão, porque mundos muito mais ricos agora se abrirão. Quando o sexo deixa você, as portas da meditação se abrem. Quando o sexo deixa você, você não está mais tentando se perder no outro. Você se torna capaz de se perder em si mesmo. Surge um outro mundo de orgasmo, de orgasmo interior, de estar consigo mesmo.

Mas esse mundo surge só por intermédio do outro. A pessoa cresce, amadurece, por intermédio do outro. Então chega um momento em que você consegue ficar em solidão e se sente extremamente feliz. Não é preciso ninguém mais. A necessidade desapareceu, mas você aprendeu muito por meio dela, você aprendeu muito sobre si. O outro se tornou o espelho. E você não quebrou o espelho! Você aprendeu tanto sobre o seu próprio ser! Agora não há mais razão para se olhar no espelho. Você pode fechar os olhos e ver o seu rosto ali. Mas não seria capaz de vê-lo se, desde o início, não tivesse existido um espelho.

Deixe que a sua mulher seja o seu espelho; deixe que o seu homem seja o seu espelho. Olhe nos olhos do seu parceiro e veja o seu rosto; volte-se para ele para se conhecer. Então, um dia, o espelho não será mais necessário. Mas você não será contra o espelho! Você será grato, como poderia ser contra ele? Você será muito grato! Como ser contra? Então, a transcendência acontece.

Transcendência não é repressão. Transcendência é um crescimento natural do ser; você se supera, vai além, assim como a semente rompe a casca e começa a rasgar a terra. Quando o sexo deixa de existir, a semente deixa de existir.

No sexo, você é capaz de dar à luz outro ser, uma criança. Quando o sexo desaparece, toda a energia começa a dar à luz você mesmo. Isso é o que os hindus chamam de *dwija*, o duas vezes nascido. Um nascimento quem lhe proporcionou foram os seus pais, o outro o aguarda. Quem lhe proporciona é você mesmo. Você é a sua mãe e o seu pai. Então toda a energia se volta para dentro – ela se torna um ciclo interior.

Neste momento, será difícil para você fazer esse círculo interior. Será mais fácil conectá-lo ao outro polo – uma mulher ou um homem – e então o ciclo se torna completo. Depois disso, você pode usufruir das bênçãos do ciclo. Pouco a pouco será capaz de fazer o ciclo interior, porque interiormente você também é homem e mulher, mulher e homem. Ninguém é só um homem ou só uma mulher, porque você se originou da comunhão de um homem e de uma mulher. Ambos participaram; a sua mãe lhe deu algo e o seu pai também. Cada um contribuiu com metade. Ambos estão presentes. Existe uma possibilidade de que ambos se encontrem dentro de você. Outra vez a sua mãe e o seu pai podem se amar dentro de você. Então a sua realidade nascerá. Uma vez eles se encontraram quando o seu corpo foi gerado; agora, se puderem se encontrar dentro de você, a sua alma nascerá.

É isso o que significa transcendência do sexo; trata-se de um sexo superior.

Deixe-me dizer uma coisa: quando transcende o sexo, você atinge um sexo superior. O sexo comum é grosseiro, o sexo superior não é. O sexo comum é de fora para dentro, o superior é de dentro para fora. No sexo comum, dois corpos se encontram, e o encontro acontece do lado de fora. No sexo superior, as suas próprias energias interiores se encontram. Ele não é físico, é espiritual, é Tantra. Tantra é transcendência. Se não entender isso, vai continuar lutando contra o sexo...

A pergunta foi feita por uma mulher que, pelo que sei, está passando por momentos críticos mentalmente. Ela gostaria de ser independente, mas é cedo demais. Ela gostaria de não ser incomodada por ninguém, mas é cedo demais, e é muito egocêntrico. Neste exato momento a transcendência é impossível, só a repressão é possível. E, se reprimir agora, na idade madura você se arrepende, porque aí as coisas ficam confusas.

Cada coisa tem o seu tempo certo. Cada coisa tem de ser feita no seu momento. Enquanto é jovem, não tenha medo do amor, e não tenha medo do sexo. Se tiver medo enquanto é jovem, na idade madura você ficará obcecada; e aí será difícil ir mais fundo no amor, e a mente ficará obsessiva.

De acordo com o que eu sei das pessoas, se elas viverem da maneira correta, amorosamente, naturalmente, ali por volta dos 42 anos de vida elas começam a superar o sexo. Se não viverem naturalmente e continuarem a lutar contra o sexo, então aos 42 a coisa toda ficará mais perigosa – porque, nessa idade, as suas energias estarão declinando. Quando é jovem, você pode reprimir uma coisa porque você está cheio de energia. Olhe a ironia da coisa! Uma pessoa jovem pode reprimir a sua sexualidade muito facilmente porque os jovens têm energia para reprimi-la. Podem simplesmente abafá-la e pronto. Quando as energias estão em declínio, então essa sexualidade reprimida se imporá e nada será capaz de controlá-la.

Eu ouvi uma história:

Um homem de 65 anos foi fazer uma visita ao consultório do filho, que era médico, e pediu que ele lhe receitasse algo que aumentasse a potência sexual. O filho aplicou no pai uma injeção, mas recusou pagamento. Mesmo assim, o velho pai lhe deu dez dólares. Uma semana depois, o pai estava de volta para tomar outra injeção, e desta vez deu ao filho vinte dólares.

"Mas, pai, as injeções custam só dez dólares."

"Tome os vinte!", disse o pai. "Os outros dez são da sua mãe".

Isso continuará. Por isso, antes que aconteça a você, por favor dê um basta. Não espere a maturidade chegar, porque a coisa vai ficar feia. Tudo será fora de época.

? **Eu sei que o meu amor "fede", então por que ainda me apego ao cheiro?**

Vivemos de acordo com o passado. A nossa vida está arraigada no passado, estamos condicionados pelo passado. O passado é muito poderoso, é por isso que você continua vivendo de acordo com certos padrões; mesmo que eles não sejam bons, você continua a repeti-los. Você não sabe como fazer de outro jeito, está condicionado a eles. É um fenômeno mecânico. E isso não acontece só a você. Acontece com quase todos os seres humanos, a menos que se tornem budas.

Tornar-se buda significa livrar-se do passado e viver o presente. O passado é imenso, vasto, enorme. Durante milhões de vidas você viveu de uma certa maneira. Agora pode ter se dado conta de que o seu amor fede, ou seja, é uma verdadeira negação, mas essa consciência também não é muito profunda; ela é superficial. Se ela se tornar realmente profunda, se penetrar no cerne do seu ser, você imediatamente dará um salto para fora disso.

Se a sua casa estiver pegando fogo, você não perguntará a ninguém como sair dali. Você não consultará a *Enciclopédia Britânica* nem esperará que algum sábio lhe indique a saída. Você não vai considerar nem se é apropriado pular pela janela, não se incomodará nem um pouco com isso. Mesmo que estiver tomando banho, nu em pelo, você pulará pelado pela janela! Nem se lembrará das roupas. Se a casa está pegando fogo, a sua vida está em perigo; agora todo o resto é secundário.

Se o seu amor vai muito mal, se essa realmente se tornou a sua experiência, então você sairá dela. Não fará simplesmente uma pergunta, você pulará fora.

Mas eu acho que se trata apenas de uma ideia intelectual, porque toda vez que está amando, vem à tona alguma tristeza. Toda vez que existe conflito, dificuldade, discussões, ciúme, possessividade. Então você chegou a essa conclusão intelectual: "Se o meu amor fede por que ainda me apego ao cheiro?" Porque ainda não é uma experiência existencial de fato para você.

E o cheiro é seu! A pessoa se acostuma com o próprio cheiro. É por isso que, quando as pessoas estão sozinhas, elas não percebem esse cheiro, só quando estão na companhia de alguém. Quando está amando, você começa a mostrar a sua face verdadeira. O amor é um espelho. O outro começa a funcionar como um espelho. Todo relacionamento se torna um espelho. Sozinho, você não percebe o próprio cheiro; não consegue; está imune a ele. Você convive com ele há tanto tempo, como pode percebê-lo? É só na companhia de outra pessoa que você começa a sentir que *ela* tem maus hábitos e ela começa a perceber que *você* os tem. E a briga começa. Essa é a história de todos os casais do mundo todo.

"Aonde vai com esse bode, Juan?", perguntou o policial.
"Vou levá-lo para casa e criá-lo como bicho de estimação!"
"Para casa?"
"Isso mesmo."
"Mas e quanto ao cheiro?"
"O que tem isso? Ele não vai se importar!"

O seu próprio cheiro não incomoda você. Na verdade, se ele desaparecer de uma hora para outra, você ficará um pouco chocado, desarraigado. Você não se sentirá como o seu eu natural; achará que tem algo errado. Se você ama e não sente ciúme, ficará se perguntando se ama ou não. Que tipo de amor é esse? Parece que não existe ciúme!

Sim, o seu amor fede, assim como o de todo mundo, mas você só percebe isso quando está num relacionamento. Você ainda não sentiu que isso tem alguma coisa a ver com você. No fundo ainda acha que deve haver algo errado com os outros. É assim que a mente funciona: ela joga a responsabilidade nos outros. Ela se aceita e está sempre encontrando falhas nos outros.

Várias pessoas estavam se sentando na primeira fila do cinema. O filme já ia começar quando de repente surgiu um cheiro horrível. Um dos expectadores virou-se para o homem ao lado e perguntou, "O senhor defecou nas calças?

O homem ao lado dele respondeu, "Sim, por quê?"

As pessoas se aceitam totalmente! Qualquer coisa que façam está certo: "Por quê? O que há de errado com isso?" As calças são minhas, por isso quem é você para interferir? E a liberdade é um direito de todo mundo!

Se o seu amor fede, então tente perceber o que exatamente é que fede. Não é o amor, mas outra coisa. O amor em si tem uma fragrância; ele não pode feder, ele é uma flor de lótus. Deve haver outra coisa com ele – ciúme, possessividade. Mas você não mencionou o ciúme nem a possessividade. Você os esconde. O amor nunca fede, ele não pode; essa não é a natureza do amor. Por favor, tente ver o que exatamente está criando o problema. E eu não estou dizendo para que reprima isso. Tudo o que é preciso é que você veja com clareza, saiba o que é isso.

Se for ciúme, então eu sugiro uma coisa: observe o ciúme com mais atenção. Da próxima vez em que ele surgir, em vez de ficar zangado, feche as portas, sente-se em silêncio, medite e observe o ciúme. Veja exatamente o que ele é. Ele cercará você como fumaça, uma fumaça densa. Sufocará você. Você gostaria de sair dali e fazer alguma coisa, mas não faça nada. Fique apenas num estado de não fazer, porque qualquer coisa que se faça num momento de ciúme será destrutiva. Só observe.

Eu não estou dizendo para reprimir o ciúme, porque isso também seria fazer algo. As pessoas ou são expressivas ou são repressoras, e os dois jeitos estão errados. Se você se expressa, torna-se destrutivo para a outra pessoa. Seja quem for a sua vítima, sofrerá, e vai querer se vingar. Ela pode não se vingar conscientemente, mas inconscientemente isso vai acontecer.

Alguns meses atrás, KB se apaixonou por uma mulher. Nada de extraordinário, mas a sua namorada Deeksha enlouqueceu! Ela não podia aceitar a ideia. Durante séculos nos disseram que, se um homem ama você ou uma mulher ama você e se interessa por outra pessoa, é porque o está rejeitando.

Isso é pura bobagem. Não é rejeição; na realidade, é justamente o oposto. Se um homem ama uma mulher e sente prazer em estar com ela, logo começa a fantasiar sobre como seria estar com outra mulher. É na verdade o prazer que ela lhe dá que aciona essa fantasia. Não é que ele esteja rejeitando essa mulher; isso é na verdade uma indicação de que essa mulher o tem satisfeito a tal ponto que ele gostaria de sair para conhecer outras mulheres. E, se ele estiver autorizado a sair, é provável que não vá muito longe; logo estará de volta, porque a outra mulher pode ser novidade, será algo novo, mas ele não consegue se sentir nutrido, preenchido, porque não há intimidade. Ficará um vazio nisso. Será sexo sem amor.

O amor precisa de tempo para crescer, precisa de intimidade para crescer. Precisa, na verdade, de um longo tempo. Não se trata de uma flor sazonal, que dura três ou quatro semanas e depois murcha. Trata-se de um longo processo de intimidade crescente. Pouco a pouco, duas pessoas se encontram e se fundem uma na outra; e passam a se nutrir mutuamente. Por isso a outra mulher, o outro homem, não pode ser nutritivo. Pode ser apenas uma aventura, um caso. Mas de repente o sentimento vem à tona – sempre acaba vindo –, foi uma boa diversão, mas não preenche. E a pessoa então volta.

E KB voltaria, mas Deeksha enlouqueceu. Ela se comportou exatamente como qualquer outra mulher! Mas eu fiquei observando para ver se ela se vingaria. E agora ela está se vingando. KB caiu doente, ficou no hospital, e Deeksha teve alguns dias de liberdade – ela se apaixonou por um vendedor! Ele certamente soube vender o seu peixe! Agora a vida de KB está um inferno.

Não é preciso se preocupar tanto com isso. Eu mandei uma mensagem a KB: "Espere, não se preocupe. Deixe que ela se vingue. É bom que ela possa se livrar desse fardo emocional".

Se entendêssemos um ao outro um pouquinho mais, se entendêssemos a natureza humana um pouquinho mais, não haveria ciúme. Mas trata-se de uma herança do passado de muitos séculos. Não é fácil se livrar dela. Não estou dizendo que você pode simplesmente descartá-la agora. Você terá que meditar a respeito. Sempre que ela o possuir, medite a respeito. Aos poucos, a meditação criará uma distância entre você e o ciúme. E quanto maior a distância menos o ciúme que aflorará. Um dia, quando não houver mais ciúme, o seu amor exalará uma fragrância melhor do que a de qualquer flor. Todas as flores são pobres quando comparadas ao florescimento do amor.

Mas o seu amor está mutilado por causa do ciúme, da possessividade e da raiva. Não é o amor que fede, lembre-se, porque eu vejo que as pessoas que pensam assim acabam se fechando, deixam de amar. Isso é o que aconteceu a milhões de monges e freiras ao longo das eras: eles se fecharam para o amor, descartaram toda a ideia do amor. Em vez de descartar o ciúme, o que teria sido uma revolução, em vez de descartar a possessividade, o que teria sido algo de imenso valor, eles descartaram o amor. Isso é fácil, não significa muita coisa; qualquer um pode fazer isso.

Ser monge ou freira é muito fácil, mas amar e não ter ciúme nem ser possessivo, amar e deixar que o outro tenha total liberdade, isso é realmente uma grande realização. Só então você viverá o amor e a sua fragrância.

O AMOR E A ARTE DO NÃO FAZER

Existem coisas que só acontecem, que não podem ser feitas.

O fazer diz respeito a coisas muito banais, mundanas. Você pode fazer alguma coisa para ganhar dinheiro, pode fazer alguma coisa para ser poderoso, pode fazer alguma coisa para ter prestígio; mas não pode fazer nada quando o assunto é amor, gratidão, silêncio. É importante entender que o "fazer" significa o mundo, e o não fazer significa aquilo que está além deste mundo – onde as coisas *acontecem*, onde só a maré o arrasta para a praia. Se você nadar, a coisa não acontece. Se você *fizer* algo, estará na verdade cooperando para que ela não aconteça; porque todo fazer é mundano.

Muito poucas pessoas chegam a conhecer o segredo do não fazer e a deixar que as coisas aconteçam. Se você almeja grandes coisas – coisas que estão além do pequeno alcance das mãos humanas, da mente humana, das capacidades humanas –, então você terá que aprender a arte do não fazer. Eu a chamo de meditação.

É um problema, porque no momento em que se dá nome a ela, as pessoas começam a se perguntar como "fazê-la". E você não pode dizer que elas estejam erradas, porque a própria palavra "meditação" cria a ideia de fazer. Elas têm o seu doutorado, têm milhões de outras coisas; quando ouvem a palavra "meditação", perguntam "Então me diga como fazer isso". E a meditação significa basicamente o início do não fazer, relaxar, seguir a maré – ser apenas uma folha na brisa, ou uma nuvem se movendo no céu.

Nunca pergunte a uma nuvem, "Para onde você está indo?" Ela própria não sabe; ela não tem endereço, não tem destino. Se o vento mudar enquanto ela ia para o sul, ela começa a ir para o norte. A nuvem não diz ao vento, "Isso é absolutamente ilógico. Estávamos indo para o sul e agora estamos indo para o norte. Qual o sentido disso tudo?" Não, ela simplesmente passa a ir para o norte, com tanta facilidade quanto ia para o sul. Para ela, sul, norte, leste, oeste, não faz nenhuma diferença. Apenas siga com o vento, sem nenhum desejo, sem nenhum objetivo, sem nenhum lugar para chegar; a nuvem só aprecia a jornada. A meditação faz de você uma nuvem – de consciência. Não existe mais objetivo.

Nunca pergunte a quem medita, "Por que está meditando?", porque a resposta é irrelevante. A meditação é, ela própria, o objetivo e, ao mesmo tempo, o caminho.

Lao-Tsé é uma das figuras mais importantes na história do não fazer. Se a história fosse escrita da maneira certa, então haveria dois tipos de história. A história das pessoas que "fazem" inclui Gêngis Khan, Tamerlão, Nadir Xá, Alexandre, Napoleão Bonaparte, Ivan o Terrível, Joseph Stalin, Adolf Hitler, Benito Mussolini; estes são aqueles que pertencem ao mundo do fazer. Deveria existir uma outra história, uma história superior, verdadeira – da consciência humana, da evolução humana. Essa é a história de Lao-Tsé, de Chuang Tzu, de Lieh Tzu, de Buda Gautama, de Mahavira, de Bodhidharma; de um tipo totalmente diferente.

Lao-Tsé chegou à iluminação sentado sob uma árvore. Uma folha tinha acabado de cair; era outono e não havia pressa; a folha voava ao sabor do vento, devagar. Ele observou a folha. A folha foi caindo até chegar ao chão, e enquanto observava a folha caindo e pousando no chão, de algum modo ele também foi se aquietando. Desse momento em diante, ele se tornou um não fazedor. O vento sopra naturalmente e a existência cuida dele.

Todo o ensinamento de Lao-Tsé se assemelhava ao do rio: siga a corrente seja para onde ela for, não nade. Mas a mente sempre quer fazer alguma coisa, porque desse modo o crédito vai para o ego. Se você simplesmente seguir a maré, o crédito vai para a maré, não para você. Se você nadar, você pode ter um ego maior: "Eu consegui atravessar o canal da Mancha!"

Mas a existência o dá à luz, lhe dá a vida, lhe dá amor; lhe dá tudo o que é precioso, tudo o que não pode ser comprado com dinheiro. Só aqueles que estão prontos para dar todo o crédito pela sua vida à existência percebem a beleza e as bênçãos do não fazer.

Não é uma questão de fazer. É uma questão de ausentar-se como ego, de deixar as coisas acontecerem.

Entregue – essa palavra contém toda a experiência.

Na vida, você está tentando fazer tudo. Por favor, deixe algumas coisas para o não fazer, porque essas são as únicas coisas que valem a pena.

Existem pessoas que estão tentando amar, porque desde o início a mãe dizia ao filho, "Você tem que me amar, porque eu sou a sua mãe". Agora ela está fazendo do amor o mesmo silogismo lógico – "porque eu sou sua mãe". Ela não está deixando que o amor cresça por si só, ele tem que ser forçado.

O pai está dizendo, "Me ame, eu sou o seu pai". E a criança é tão indefesa que tudo o que ela pode fazer é fingir. O que mais pode fazer? Ela pode sorrir, pode dar um beijo, e sabe que é tudo fingimento: ela não queria fazer aquilo, é tudo enganação. Não é espontâneo. Mas porque ele é o papai, ela é a mamãe, você é aquilo, você é aquilo outro... Eles estão estragando a mais preciosa experiência da vida.

Então as esposas estão dizendo aos maridos, "Você tem que me amar, eu sou a sua mulher". Estranho. Os maridos estão dizendo, "Você tem que me amar. Eu sou o seu marido, é um direito meu!" O amor não pode ser exigido. Se ele vier, seja grato; se não vier, espere. Mesmo que você esteja esperando que ele venha, não deve haver queixas, porque você não tem nenhum direito. O amor não é um direito de ninguém, não existe uma constituição que lhe confira o direito de viver o amor. Mas eles estão destruindo tudo, então as esposas vivem sorrindo e os maridos dando abraços.

Um dos mais famosos escritores dos Estados Unidos, Dale Carnegie, escreveu que todo marido deveria dizer à esposa pelo menos três vezes por dia: "Eu te amo, querida". Você está ficando louco? Mas ele disse isso, e funciona; e muitas pessoas, milhões delas, estão colocando em prática o conselho de Dale. "Quando for para casa, leve sorvete, flores, rosas, para mostrar que ama a sua mulher", como se isso fosse algo que precisasse ser mostrado, provado materialmente, pragmaticamente, linguisticamente, verbalmente, vezes e vezes sem conta, para que não seja esquecido. Se você não disser à sua esposa durante alguns dias que a ama, ela contará quanto dias se passaram e se encherá de suspeita, achando que você deve estar dizendo isso para outra pessoa, pois a quota dela está diminuindo. O amor é uma quantidade. "Se ele não está mais trazendo sorvete para casa, deve estar levando para outro lugar, e isso é algo que não posso tolerar!"

Criamos uma sociedade que acredita somente no "fazer", enquanto a parte espiritual do nosso ser morre à míngua porque precisa de algo que não se faz, mas *acontece*. Não que você dê um jeito de dizer "Eu te amo"; você de repente se pega dizendo que ama. Você mesmo se surpreende ao ouvir o que diz. Não ensaiou na sua cabeça primeiro e depois repetiu, nada disso; é espontâneo.

E, na verdade, os momentos reais de amor são silenciosos. Quando você está realmente sentindo amor, esse mesmo sentimento cria à sua volta uma radiância que diz tudo o que você não consegue dizer, que nunca pode ser dito.

Mas, em vez disso, nós damos um jeito em tudo, transformamos tudo num "fazer" e o resultado final é que aos poucos a hipocrisia se torna uma característica nossa. Nós nos esquecemos completamente de que se trata de hipocrisia. E na mente, no ser de uma pessoa que é hipócrita, qualquer coisa do mundo do não fazer é impossível. Você pode continuar fazendo mais e mais; você se tornará quase um robô.

Portanto, sempre que você passar, subitamente, por uma experiência de acontecer, encare-a como uma dádiva da existência e faça desse momento o arauto de um novo estilo de vida. Simplesmente reserve alguns momentos das 24 horas do dia, quando não estiver fazendo nada, simplesmente deixe que a existência faça algo a você. E as janelas começarão a se abrir para você, janelas que o ligarão com o universal, o imortal.

? **Parece-me que muito do meu "fazer" é para evitar o tédio. Você pode falar sobre a natureza das experiências que chamamos de tédio e inquietação?**

O tédio e a inquietação estão profundamente relacionados. Sempre que sente tédio, você se sente inquieto. A inquietação é uma consequência do tédio.

Procure entender o mecanismo. Sempre que se sente entediado, você quer se afastar da situação. Se alguém está dizendo algo e você está ficando entediado, você começa a ficar impaciente. Essa é uma indicação sutil de que quer se afastar desse lugar, dessa pessoa, dessa conversa sem sentido. O seu corpo começa a se mexer. É claro que, por educação, você se contém, mas o corpo já está em movimento, porque o corpo é mais autêntico do que a mente, o corpo é mais honesto e sincero que a mente. A mente está tentando ser gentil, sorrir. Você diz, "Que interessante!", mas por dentro está dizendo, "Que chateação! Eu já escutei essa história tantas vezes e você está repetindo outra vez!"

Eu ouvi uma história sobre a mulher de Albert Einstein. Amigos de Einstein foram visitá-lo e, evidentemente, ele estava sempre contando os seus casos, contando piadas, e eles riam. Mas um amigo ficou curioso: notou que, sempre que ele fazia uma visita e Einstein começava a contar histórias, a senhora Einstein imediatamente começava a tricotar ou fazer outra coisa. Então ele perguntou a ela, "Assim que o seu marido começa a contar uma história ou uma piada, a senhora começa a tricotar. Por quê?"

Ela disse, "Se eu não fizer alguma coisa, não consigo tolerar, porque já ouvi essas histórias e piadas milhares de vezes. Você vem nos visitar de vez em quando, mas eu estou *sempre* aqui. Sempre que chega uma visita, ele conta as mesmas piadas, as mesmas histórias. Se eu não fizer alguma coisa com as mãos, perderia a paciência e seria indelicada. Portanto, eu tenho que conter a minha inquietação fazendo alguma coisa. Assim posso esconder a minha impaciência por trás do trabalho".

Sempre que se sente entediado, você fica inquieto. A inquietação é uma indicação do seu corpo; o corpo está dizendo, "Vá embora daqui. Vá a algum lugar, mas não fique aqui". Mas a mente continua sorrindo, os olhos brilhando e você continua dizendo que está ouvindo e que nunca ouviu história mais interessante. A mente é civilizada; o corpo ainda é selvagem. A mente é humana; o corpo ainda é animal. A mente é falsa; o corpo é verdadeiro. A mente sabe as regras e as regulamentações, como se comportar e como não se comportar. Portanto, mesmo que encontre um chato, você diz, "Que alegria, estou feliz por ver você!" Mas, lá no fundo, se pudesse, mataria esse homem! Ele instiga os seus instintos assassinos. Por isso você fica impaciente, inquieto.

Se ouvir o seu corpo e se afastar correndo dali, a inquietação passa. Experimente! Se alguém estiver deixando você entediado, simplesmente comece a pular e correr em círculos. Observe o que acontece – a sua inquietação desaparece, porque ela mostra simplesmente que a energia não quer ficar ali. A energia já está em movimento; ela já deixou esse lugar. Agora você está seguindo a energia, por isso a inquietação desaparece.

É preciso entender o tédio, não a inquietação. O tédio é um fenômeno muito significativo. Só o ser humano fica entediado, nenhum outro animal. Você não consegue entediar um búfalo, é impossível. Só o ser humano fica entediado, porque só o ser humano é consciente. A consciência é a causa. Quanto mais sensível você é, mais alerta você é, mais consciente você é, mais se sentirá entediado, e em mais situações. A mente medíocre não se sente entediada com tanta facilidade. Ela segue em frente; aceita qualquer coisa que estiver acontecendo como algo normal. Ela não está alerta. Quanto mais alerta você fica, quanto mais vivaz, mais sentirá uma dada situação como uma simples repetição, como se ela fosse simplesmente intolerável, sem graça. Quanto mais sensível você é, com mais facilidade fica entediado.

O tédio é uma indicação de sensibilidade. As árvores não ficam entediadas, os animais não ficam entediados, as pedras não ficam entediadas, porque eles não são suficientemente sensíveis. Esse precisa ser um dos entendimentos básicos sobre o seu tédio: ele acontece porque você é sensível.

Mas os budas também não se entediam. Você não pode entediar um buda. Os animais não se entediam e os budas também não, portanto o tédio é um fenômeno intermediário entre o animal e o buda. Para que haja tédio, é preciso um pouco mais de inteligência e sensibilidade do que os animais têm. E, se você quer superar o tédio, então precisa se tornar *totalmente* sensível. Então mais uma vez o tédio desaparece. Porém, entre as condições de animal e de buda, o tédio existe.

Se você se tornar como os animais, o tédio desaparece. Você vai perceber que as pessoas com uma vida mais animalesca são menos entediadas. Comem, bebem, se casam – elas não são muito entediadas, mas também não são muito sensíveis. Elas vivem num nível mínimo, só com a consciência que é necessária para a rotina diária.

Você descobrirá que os intelectuais, as pessoas que pensam muito, são mais entediadas, porque elas pensam, e ao fazer isso percebem que há coisas simplesmente repetitivas.

A sua vida é cheia de repetições. Todo dia você acorda quase da mesma maneira que acordou a vida toda. Você toma café da manhã quase da mesma maneira. Então vai para o escritório – o mesmo escritório, as mesmas pessoas, o mesmo trabalho. Depois vai para casa – a mesma mulher, o mesmo marido, o mesmo parceiro. Se fica entediado, é natural. Você quase nunca vê uma novidade; tudo parece antigo e coberto de pó.

Eu ouvi uma historinha:

Mary Jane, amiga íntima de um abastado corretor da bolsa, abriu a porta alegremente um dia e tentou fechá-la rapidamente quando viu na soleira a mulher do seu amante.

A mulher bloqueou a porta e disse, "Oh, deixe-me entrar, querida. Eu não vim aqui fazer uma cena, só para ter uma conversa amigável".

Muito nervosa, Mary Jane deixou-a entrar e perguntou com cautela, "O que você quer?"

"Nada de mais", disse a mulher olhando em torno. "Só quero que me responda uma coisa. Me diga, querida, cá entre nós, o que você viu nesse panaca?"

O mesmo marido todos os dias se torna um panaca; a mesma mulher todos os dias, você quase se esquece como ela é. Se lhe disserem para fechar os olhos e se lembrar do rosto da sua mulher, verá que é quase impossível se lembrar. Muitas outras mulheres lhe ocorrerão, toda a vizinhança, mas não a sua mulher. Todo relacionamento se torna uma contínua repetição. Você faz amor, abraça a sua mulher, beija a sua mulher, mas agora esses são gestos vazios. A glória e o glamour desapareceram há muito tempo.

O casamento se acaba praticamente junto com a lua de mel, o resto é fingimento. Mas, por trás desse fingimento, um tédio profundo vai se acumulando. Observe as pessoas andando na rua e você verá que elas estão completamente entediadas. Todo mundo está entediado, morto de tédio. Olhe o rosto delas – não existe uma aura de alegria. Olhe os olhos delas – estão cobertos de pó, sem nenhum brilho de felicidade. Elas vão do trabalho para casa, de casa para o trabalho, e pouco a pouco toda a vida delas se torna uma rotina mecânica, uma repetição constante. E um dia elas morrem. Quase todas as pessoas morrem sem ter nem ao menos vivido.

Dizem que Bertrand Russell costumava dizer, "Quando olho para trás, não consigo ver mais do que alguns dias da minha vida em que me senti realmente vivo, radiante". Você consegue se lembrar de quantos momentos, na sua vida, você se sentiu realmente vivo? Raramente isso acontece. Alguns sonham com esses momentos, outros imaginam esses momentos, outros esperam por esses momentos, mas eles quase nunca acontecem. E mesmo que acontecerem, cedo ou tarde eles também se tornam repetitivos. Quando você se apaixona por uma mulher ou por um homem, sente como se um milagre tivesse acontecido, mas pouco a pouco o milagre desaparece e tudo cai na rotina.

O tédio é a consciência da repetição. Como os animais não podem se lembrar do passado, não podem se sentir entediados. Eles não podem se lembrar do passado, por isso não podem sentir a repetição. O búfalo continua comendo o mesmo capim todo dia com o mesmo entusiasmo. Você não consegue. Como vai comer o mesmo capim todo dia com entusiasmo? Você enjoa.

Por isso as pessoas tentam mudar. Elas mudam para uma casa nova, compram um carro novo, divorciam-se, começam um novo caso de amor. Mas, mais uma vez, a novidade logo vai ficar repetitiva. Não adianta nada mudar os lugares, mudar os parceiros, mudar as casas.

E, sempre que a sociedade fica muito entediada, as pessoas começam a mudar de cidade, de emprego, de parceiro, mas cedo ou tarde percebem que nada disso faz sentido. A mesma coisa vai acontecer com toda mulher, com todo homem, com toda casa, com todo carro.

O que fazer então? Ficar mais consciente. Não é uma questão de mudar a situação. Transforme o seu ser, torne-se mais consciente. Se você ficar mais consciente, vai perceber que cada momento é novo. Mas para isso, muita energia, uma tremenda energia de consciência é necessária.

A mulher não é a mesma, lembre-se. Isso é uma ilusão. Volte para casa e olhe novamente para a sua mulher – ela não é a mesma. Ninguém pode ser a mesma coisa; só as aparências enganam. As árvores não são iguais ao que eram ontem. Como podem ser? Elas cresceram. Muitas folhas caíram, novas folhas nasceram. Olhe a árvore na calçada – quantas folhas novas ela tem? Todo dia as velhas caem e novas nascem. Mas você não está consciente.

Ou não tenha consciência nenhuma, e então você não perceberá a repetição, ou tenha muita consciência, para que possa ver, em cada repetição, algo de novo. Essas são as duas maneiras de se sair do tédio.

Mudar as coisas por fora não vai adiantar. É como mudar a disposição dos móveis da sala várias vezes. Qualquer coisa que faça, se arrumar deste jeito ou de outro, a mobília será a mesma. Existem muitas pessoas que vivem pensando em como arrumar as coisas, onde colocá-las, como dispô-las, onde não colocá-las, e vão mudando as coisas de acordo com as suas ideias. Mas trata-se do mesmo cômodo, da mesma mobília. Por quanto tempo você vai ficar se enganando desse jeito? Aos poucos as coisas se ajeitam e acaba a novidade.

Você não tem a qualidade de consciência capaz de encontrar o novo a cada momento. Para uma mente embotada, tudo é velho; para uma mente totalmente viva, não há nada velho sob o sol, não pode haver. Tudo está em fluxo. Toda pessoa está em fluxo, como um rio. As pessoas não são coisas mortas, como podem ficar iguais? *Você* é igual? Entre o momento em que acordou de manhã e saiu até o momento em que voltou para casa, muita coisa aconteceu. Alguns pensamentos desapareceram da sua mente e outros surgiram. Você pode ter descoberto algo. Não pode voltar para casa do mesmo modo que a deixou. O rio está constantemente fluindo; ele parece o mesmo, mas não é. O velho Heráclito disse que você não pode entrar no mesmo rio duas vezes, porque o rio nunca é o mesmo.

Uma coisa é que *você* não é o mesmo, e outra coisa é que *tudo* está mudando... mas para isso é preciso viver no ápice da consciência. Ou você vive como um buda ou vive como um búfalo, e então não ficará entediado. Agora a escolha é sua.

Eu nunca vi ninguém que esteja igual. Sempre me surpreendo com a novidade que as pessoas trazem a cada dia. Elas podem não estar conscientes disso.

Não perca a capacidade de se surpreender.

Deixe-me contar uma anedota.

Um homem entrou num bar, imerso em seus pensamentos. Então virou para uma mulher que estava passando e disse, "Com licença, senhorita, você tem horas?"

Numa voz estridente, ela respondeu, "Como se atreve a me fazer uma proposta dessas?!"

O homem se surpreendeu e notou, constrangido, que todos os olhos tinham se voltado para ele. Então murmurou, "Só perguntei se tem horas, senhorita".

Numa voz ainda mais alta a mulher respondeu, "Eu chamarei a polícia se disser mais uma palavra!"

Bebendo de um gole a sua bebida e vermelho de vergonha, o homem se esgueirou para um canto do bar e se encolheu numa mesa, contendo a respiração e se perguntando quando poderia sair dali sem que ninguém percebesse.

Não havia se passado nem um minuto quando a mulher se aproximou dele. Em voz baixa ela disse, "Queira me desculpar, senhor, eu o deixei terrivelmente constrangido, mas sou estudante de psicologia e estou escrevendo uma tese sobre a reação dos seres humanos a declarações súbitas e chocantes".

O homem olhou para ela por alguns segundos, depois sussurrou, se aproximando dela, "Você faria aquilo comigo, a noite toda, por dois dólares?"

E dizem que a mulher caiu, desmaiada.

Pode ser que não deixemos a nossa consciência se elevar porque, se isso acontecesse, a nossa vida seria uma constante surpresa. Talvez você não conseguisse lidar muito bem com isso. É por isso que se conformou com uma mente entorpecida e investiu nela. Você não é embotado por acaso, esse embotamento tem um propósito; se estivesse verdadeiramente vivo, tudo seria uma surpresa e um choque para você. Se você permanecer embotado, então nada o surpreende, nada é um choque. Quanto mais entorpecido você fica, mais a vida lhe parece entediante. Se você ficasse mais consciente, a vida também se tornaria mais viva, vibrante, e seria mais difícil.

Você sempre vive com expectativas mortas. Todo dia volta para casa e espera um certo comportamento da sua mulher. Agora veja como criou a sua própria infelicidade: você espera um certo comportamento sempre igual da sua parceira e depois quer que ela se renove? Você está pedindo o impossível! Se realmente quer que a sua mulher, o seu marido, o seu parceiro se renove continuamente para você, não espere nada. Vá para casa sempre pronto para ter uma surpresa e um choque; só assim o outro se renovará.

Mas, em vez disso, esperamos que o outro preencha as nossas expectativas. E nós mesmos nunca deixamos que o nosso frescor total, fluido, seja conhecido pelo outro. Continuamos a nos esconder, não nos expomos, porque o outro pode não ser capaz de entender essa renovação. Tanto o marido quanto a mulher esperam que o cônjuge se comporte de certa maneira e, é claro, cada um deles representa o seu papel. Não estamos vivendo a vida, estamos vivendo papéis. O marido volta para casa, se força a representar um certo papel. No momento em que ele entra em casa, não é mais uma pessoa viva; é só um marido.

Ser um marido significa ter o tipo de comportamento esperado. Em casa, a mulher é a esposa e o homem é o marido. Ora, quando essas duas pessoas se encontram, na verdade estão presentes quatro pessoas: o marido e a mulher, que não são pessoas de verdade, mas apenas personas, máscaras, falsos padrões, comportamento esperado, deveres e tudo mais, e as pessoas reais se escondendo por trás de máscaras.

Essas pessoas reais se sentem entediadas.

Mas você investiu muito na sua persona, na sua máscara. Se você realmente quiser uma vida sem tédio, jogue fora todas as máscaras, seja verdadeiro. Às vezes isso não será fácil, eu sei, mas vale a pena. Seja verdadeiro. Se você se sente com vontade de amar a sua mulher, então a ame; do contrário, diga que não está com vontade. O que acontece agora é que o marido continua fazendo amor com a esposa, pensando numa determinada atriz. Na imaginação, ele não está fazendo amor com essa mulher, ele está fazendo amor com outra mulher. E o mesmo acontece com a esposa. Então as coisas vão ficando chatas, porque eles não estão mais vivos, vibrantes. A intensidade, a perspicácia, se perdeu.

Aconteceu numa plataforma de trem. O senhor Johnson tinha se pesado numa daquelas balanças antigas a moedas, que dão direito a um cartão com uma mensagem da sorte.

A formidável senhora Johnson arrancou o cartão dos dedos do marido e disse, "Deixe-me vê-lo. Ah! Está dizendo que você é firme e resoluto, tem uma personalidade decidida, espírito de liderança e um charme que atrai as mulheres".

Então ela tirou os olhos do cartão, estudou o marido por um momento e disse, "E ela informou o peso errado também".

Nenhuma mulher pode tolerar que o marido seja atraente aos olhos das outras mulheres. E esse é o ponto crucial, o x da questão. Se ele não atrai as outras mulheres, como ela espera que ele seja atraente para ela? Só se ele for atraente aos olhos das outras mulheres, será aos olhos dela também, porque ela também é uma mulher. A esposa quer que o marido pareça atraente aos olhos dela e de mais ninguém. Ora, isso é pedir algo absurdo. É como se você estivesse dizendo, "Você só pode respirar na minha presença e na de mais ninguém! Como ousa respirar na frente de outra pessoa?!" Só respire quando a sua mulher estiver presente, só respire quando o seu marido estiver presente, e não respire na frente de mais ninguém! Evidentemente, se você fizer isso vai morrer e também não poderá respirar na frente do seu parceiro.

O amor tem que ser um modo de vida. Você nasceu para ser amoroso. Só assim poderá amar a sua mulher ou o seu marido. Mas a mulher diz, "Não, você não pode olhar para mais ninguém com um jeito afetuoso". É claro que você procura se controlar, porque do contrário estará em maus lençóis, mas pouco a pouco o brilho do seu olhar se esvai. Se você não pode olhar para mais ninguém com amor, pouco a pouco também não consegue olhar mais para a sua mulher com amor. A capacidade se atrofia. E o mesmo acontece com ela. O mesmo aconteceu com toda humanidade. Então a vida fica entediante; todo mundo só está esperando a morte; existem pessoas que pensam o tempo todo em se suicidar.

Marcel disse uma vez que o único problema metafísico da humanidade é o suicídio. E é mesmo, porque as pessoas estão muito entediadas. É simplesmente impressionante como mais pessoas não cometem suicídio, continuam vivendo. A vida parece não ter nada a oferecer, parece que ela não tem nenhum sentido, mas as pessoas continuam se arrastando pela vida de alguma maneira, esperando que um dia algum milagre aconteça e tudo volte a entrar nos eixos.

Isso nunca vai acontecer. *Você* tem que pôr as coisas nos eixos; ninguém mais vai fazer isso por você. Nenhum Messias vai vir, não espere por um Messias. Você tem que ser uma luz para si mesmo.

Viva de maneira mais autêntica. Jogue fora as máscaras; elas são um peso no seu coração. Jogue fora todas as falsidades. Exponha-se. É claro que isso vai causar problema, mas vai valer a pena, porque só depois desse problema você vai crescer e amadurecer. E a partir daí nada vai obstruir a sua vida. Cada momento da vida revelará a sua novidade, será um milagre constante acontecendo em torno de você; só você que está se escondendo atrás de antigos hábitos.

Torne-se um buda se não quiser ficar entediado. Viva cada instante o mais alerta possível, porque só nesse estado de alerta total você conseguirá se livrar da máscara. Você se esqueceu completamente de como é a sua face original. Nem mesmo quando está sozinho, diante do espelho do banheiro, você consegue ver o reflexo da sua face original. Mesmo então você continua se enganando.

A existência só está ao alcance daqueles que estão ao alcance da existência. Depois disso, estou lhe dizendo, não existe mais tédio. A vida é uma delícia sem fim.

? **Você poderia falar um pouco mais sobre o que significa intimidade? Particularmente, quando é positivo nos mantermos juntos em tempos difíceis, num casamento ou parceria, e quando é negativo?**

O casamento é uma maneira de evitar a intimidade. Trata-se de um truque para criar um relacionamento formal. A intimidade é informal. Se o casamento nasce da intimidade, ele é bonito, mas se você está esperando que a intimidade nasça no casamento, essa espera será em vão. Eu sei, é claro, que muitas pessoas, milhões delas, se conformaram com o casamento em vez da intimidade – porque a intimidade é crescimento e é dolorosa.

O casamento é muito seguro. É uma segurança. Não existe crescimento nele. A pessoa fica simplesmente estagnada. O casamento é um acordo sexual; a intimidade é uma busca pelo amor. O casamento é um tipo de prostituição, de um tipo permanente. A pessoa se casou com um homem ou com uma mulher; é uma prostituição permanente. O acordo é econômico, não é psicológico, não é do coração.

Por isso lembre-se, se o casamento nasceu da intimidade, ele é belo. Isso significa que todo mundo deveria viver junto antes de se casar. A lua de mel não deveria acontecer depois do casamento, deveria acontecer antes. As pessoas deveriam viver as noites sombrias, os dias bonitos, os momentos tristes, os momentos felizes, juntas. Deveriam olhar fundo nos olhos uma da outra, dentro do seu ser.

Como decidir? Se a intimidade está ajudando você a crescer e a amadurecer, então ela é positiva, benéfica e saudável, proveitosa. Se ela é destrutiva e não está deixando que você amadureça, mas em vez disso está ajudando a mantê-lo infantil, imaturo, então ela é nociva. Qualquer relacionamento que o mantenha infantil, imaturo, é destrutivo. Livre-se dele. Qualquer relacionamento que lhe imponha o desafio de crescer, de viver uma aventura, de mergulhar cada vez mais fundo na vida... Não estou dizendo que uma parceria ou casamento positivo não tenha problemas. Ela terá *mais* problemas do que uma negativa. Um relacionamento positivo terá mais problemas porque todo dia surgirão novos desafios. Mas cada vez que um problema for resolvido, você terá avançado um pouquinho mais; cada vez que um desafio for superado, você terá descoberto que se integrou um pouco mais com o seu próprio ser.

Um relacionamento negativo não tem problemas, ou tem no máximo pseudoproblemas, os chamados problemas – não problemas reais. Você já observou? Maridos e mulheres brigam por coisas triviais. Eles não têm problemas reais, e mesmo que você brigue por causa deles, eles não lhe acrescentam nada, não ajudam no seu crescimento. Observe os maridos e esposas, observe você mesmo. Você pode ser um marido, uma esposa – só observe. Se está brigando por causa de trivialidades – coisinhas pequenas que não significam nada –, então você continuará imaturo e infantil.

Os problemas reais, autênticos, que realmente precisam ser enfrentados, criam um grande tumulto no seu ser; eles provocam um ciclone. A pessoa precisa enfrentá-los, e nunca evitá-los. E as questões triviais são uma fuga das questões reais. Marido e mulher brigam por coisas pequenas: que filme vão ver e que filme não vão; que cor de carro vão comprar, que modelo, que marca; em que restaurante vão jantar esta noite. Coisas tão banais! Essas coisas não fazem diferença nenhuma! Vocês estão fazendo um grande estardalhaço por causa desses problemas e, se fixarem a atenção neles, o seu relacionamento não vai ajudá-los; não vai lhes dar integridade, nenhum centro. Eu considero esse relacionamento negativo.

O relacionamento positivo lida com problemas reais. Por exemplo, se está zangado ou triste, você ficará triste diante da sua esposa, não fingirá um sorriso. E dirá, "Estou triste". Isso é algo que se precisa enfrentar. Se, andando na rua com a sua esposa, você vê uma bela mulher passando e um grande desejo se avolumar no seu coração, você dirá à sua esposa que essa mulher mexeu com você. Você não a evitará. Não desviará os olhos nem fingirá que não viu a mulher. Mesmo que finja, a sua mulher já percebeu! É impossível que ela não perceba, porque imediatamente a sua energia, a sua presença muda. Esses são problemas reais.

Só porque casou com uma mulher isso não significa que você não vai mais se interessar por mulher nenhuma. Na verdade, no dia em que você não se interessar mais por outra mulher, também não se interessará mais pela sua. Por quê? Pelo quê? O que a sua mulher tem que é especial? Se você não se interessar mais pelas outras, não se interessará mais pela sua mulher tampouco. Você a ama porque é apaixonado pelas mulheres, ainda. A sua esposa é uma mulher. E às vezes você cruza com outras mulheres que o encantam. Você dirá isso e enfrentará o tumulto que isso provocará. Não se trata de uma banalidade, porque causará ciúme, causará discussão, perturbará a paz e você não conseguirá dormir à noite. A sua mulher estará jogando travesseiros em você!

Ser verdadeiro cria problemas reais. Ser autêntico cria problemas reais. E diga o que tiver de dizer. Nunca hesite, nunca fuja. Olhe de frente e seja verdadeiro, e ajude o seu parceiro a ser verdadeiro.

Sim, existem problemas numa intimidade verdadeira, mais problemas do que num estado negativo. Se você realmente tem intimidade com o seu parceiro, como pode evitar o fato de que está interessado por outra pessoa? Tem que dizer. Isso faz parte do amor, faz parte da intimidade. Você se expõe totalmente e não deixa nada por dizer. Mesmo que durante a noite você sonhe com a outra pessoa, pela manhã você pode contar o sonho para o seu parceiro.

Eu ouvi falar de um diretor de cinema. Durante a noite ele começava a falar com a namorada enquanto dormia, e falava em voz alta. Dizia coisas belas, e a esposa acordava. Ela começava a olhar para ele, ouvir o que ele estava dizendo. Quando você é casado, até em seus sonhos você tem medo da sua esposa, por isso ele acordava e ficava com medo. O que ele andara dizendo? Sentia que a mulher olhava para ele e, com grande presença de espírito, sem abrir os olhos ou dar indicação de que estava acordado, ele dizia, "Corta! Agora a próxima cena!", como se estivesse dirigindo um filme!

Se você realmente ama uma mulher, pela manhã contará a ela sobre o sonho, contará que fez amor com outra mulher durante o sono. Tudo tem que ser compartilhado. O coração inteiro tem que ser compartilhado.

Intimidade significa que não existe privacidade. Você não tem mais nada que seja privado agora; pelo menos não com a pessoa com quem tem intimidade, você abre mão da sua privacidade. Você fica nu em pelo – bom, ruim, seja como for, você abre o coração. E pagará o preço; seja qual for o problema, você vai enfrentá-lo. Isso traz crescimento.

E você ajuda a outra pessoa a também se livrar de todas as inibições, proteções, máscaras. Num relacionamento íntimo, a pessoa conhece a face original do outro e mostra a sua própria face original. Se um relacionamento o ajuda a encontrar a sua face original, então ele é meditativo, espiritual. Se o seu relacionamento o ajuda a simplesmente criar mais máscaras e hipocrisia, então ele é irreligioso.

Tente entender a minha definição. Se a minha definição for compreendida, então, de cem casamentos, 99 são irreligiosos, porque eles estão simplesmente criando mais e mais falsidade. Desde o início, existe falsidade.

Eu ouvi:

O padre, lançando os olhos por sobre o casal à sua frente, na direção dos convidados que testemunhavam a cerimônia, entoou: "Se alguém tem alguma objeção, que fale agora ou cale-se para sempre".

"Eu tenho!", soou uma voz, alta e clara.

"Você não abra a boca!", retrucou o padre. "Você é o noivo."

Desde o início! Eles nem se casaram ainda. E é assim que começa a vida de casados. As pessoas silenciam. Não dizem nada. Não dizem a verdade. Falam mentiras. Sorriem quando não querem sorrir, beijam quando não querem beijar. Naturalmente, se você beija quando não quer beijar, o beijo é venenoso. Se sorri quando não quer sorrir, o seu sorriso é feio, é político. E, de algum modo, a pessoa se acostuma com essas coisas, se conforma com a falsidade, com a falta de autenticidade da vida. E se consola de mil e uma maneiras diferentes.

"Ah, somos tão felizes!", insistia o marido. "Claro, de vez em quando a minha mulher joga uns pratos em mim. Mas isso não muda nada, porque, se ela me acerta, fica feliz e, se erra, eu fico feliz!"

Pouco a pouco as pessoas chegam a um acordo: ambos são felizes.

O carro em que o casal de idosos viajava caiu numa ribanceira e ficou destroçado.

"Onde estou?", gemeu o homem ao abrir os olhos. "No céu?"

"Não", respondeu a mulher meio desorientada. "Ainda estou com você."

Esses acordos são diabólicos. O que você conhece pelo nome de "relacionamento" é apenas um jogo de falsidade e de hipocrisia.

Por isso, faça disto um critério: se estiver crescendo e se tornando um indivíduo, se estiver vivendo mais intensamente, se estiver ficando mais aberto, se está sentindo mais a beleza da vida, se mais poesia está brotando no seu coração, se mais amor está fluindo através do seu ser, mais compaixão, se está ficando mais consciente, então o relacionamento é bom. Leve-o adiante. Isso não é um casamento. É intimidade.

Mas se está acontecendo o inverso; se toda poesia está desaparecendo e a vida está ficando prosaica; se todo amor está desaparecendo e a vida está se tornando um fardo, um fardo pesado; se toda música está se evanescendo e você está encarando a vida como uma obrigação, então é melhor que fuja dessa prisão. É melhor para você e é melhor para a pessoa com quem você está vivendo.

?

Eu me sinto realmente confusa. Você vive me dizendo, de um jeito ou de outro, que sou pirada por ainda estar com o meu namorado; mas ainda existe algo muito forte em mim que quer ficar nesse relacionamento. Se ficar sozinha e sem um relacionamento é algo que me deixa mais próxima de mim mesma, eu definitivamente não estou compreendendo. Se significa que esse relacionamento está atrapalhando, dói demais só de pensar. O que é que eu não estou conseguindo entender?

A questão não é o que você não está conseguindo entender, a questão é que você está tendo ideias por conta própria que não tem nada a ver comigo. Portanto, deixe-me dizer-lhe claramente que eu não sou contra nenhum relacionamento, muito menos do seu com o seu namorado, que se dão tão bem juntos! Ele é um aloprado, você é pirada – eu não vou perturbar o relacionamento de vocês. Do contrário, o aloprado vai perturbar outra pessoa, a pirada vai perturbar outro alguém, e outras duas pessoas serão incomodadas.

Só por pura compaixão, eu quero que vocês fiquem juntos, grudados, aconteça o que acontecer. O que mais pode acontecer? Ele se tornou um aloprado; não vai além disso. Você é uma pirada. Agarrem-se um no outro, trata-se de uma bela companhia! Sim existem brigas, mas existem momentos de amor também. Você é tão apegada a ele e ele é tão apegado a você! Isso sempre acontece quando dois malucos se apaixonam, por isso não importa o inferno que criem um para o outro, eles permanecem juntos. Esse inferno é o paraíso desses dois.

Não sou contra o relacionamento de vocês. O que estou dizendo é que o seu namorado deveria deixar de ser um aloprado e se tornar um ser humano, e que você deveria deixar de ser uma pirada e se tornar um ser humano – relacionarem-se como seres humanos, amarem-se como seres humanos. Eu sou a última pessoa que quer perturbar o amor de alguém. Se estou perturbando, é só para que o elevem um pouquinho mais, o levem para espaços mais amplos.

Você entendeu tudo errado, mas isso é compreensível. Eu estava esperando pela sua pergunta. Eu poderia tê-la escrito eu mesmo, porque sabia o que estava se passando nas mentes estranhas dessas duas pessoas. E você mesma me contou que, desde que o seu namorado foi para Goa, você está sentindo muita paz e alegria nessas semanas.

Quando ele a avisou de que estaria de volta numa semana, mesmo antes que ele viesse, você começou a se retrair. Você teve que se preparar para recebê-lo, por isso começou a se sentir infeliz. Nesses sete dias em que esperou pelo retorno dele, você perdeu novamente toda alegria, toda paz. Agora que ele está aqui, vocês estão outra vez fazendo os mesmos joguinhos, que são destrutivos para ambos.

Eu não gostaria de separá-los, mas gostaria que vocês deixassem para trás essas ideias de serem pirados ou aloprados. Essas ideias são perigosas, e se você cultivar uma ideia por muito tempo, ela começa a se tornar realidade. Você cria a sua realidade em torno de si com as suas ideias – é uma projeção.

Simplesmente renuncie ao passado e encontrem-se como estranhos. Diga ao seu namorado, “Olá”, e não repita na sua cabeça, “Este é aquele aloprado”. Evite isso. Os aloprados não são pessoas ruins, mas no final das contas eles são desequilibrados. Vocês se dão muito bem, mas esse convívio precisa ser prazeroso. Precisa ser uma grande bênção; vocês devem ajudar um ao outro a crescer.

As brigas precisam ter fim. Você tem bom coração e ele também tem um coração muito bom. Eu conheço muitos tipos de malucos e todos eles têm bom coração. Basta que deixem de lado os seus disfarces, as suas personalidades, e parem de se confrontar.

Eu não sou contra o relacionamento de vocês, mas ter um relacionamento não significa confrontar um ao outro o tempo todo. Brigas não são sinônimo de amor. De vez em quando vocês são amorosos, mas apenas o bastante para poder continuar brigando.

Não há nenhuma necessidade de brigas. E sempre que estiver se sentindo com energia demais, você pode se dedicar à Meditação Dinâmica. Por que você acha que eu criei todas essas meditações para todo tipo de maluco? – para que eles possam passar uma hora sendo malucos, mas achando que estão fazendo uma meditação espiritual! Trata-se simplesmente de descartar a sua loucura sem despejá-la em ninguém; assim com os outros eles conseguem ter um relacionamento mais calmo, pacífico, amoroso.

Eu não sou contra nenhum tipo de amor, mas, se o amor cria o inferno, então eu sugiro que vocês não continuem a ser infelizes. Nesse caso é melhor para vocês dois – se não conseguem criar um espaço de amor entre vocês dois, então talvez não tenham nascido um para o outro. Façam uma tentativa, e fiquem alertas para o fato de que se continuarem amuados, com o semblante constantemente triste, então vou sugerir que se afastem um do outro.

Você é simplesmente miolo mole. Ele é uma pessoa com muitas qualidades, um desmiolado – ele vai me entender.

Não é preciso perder as esperanças. Façam uma tentativa, mas desta vez decidam que ou vão viver uma vida de paz e alegria, ou, com paz e alegria, vão se afastar um do outro.

Somos todos estranhos neste mundo. Nós nos encontramos de repente, por acaso, na rua. É bom se pudermos ajudar uns aos outros a sermos mais autênticos, mais sinceros, mais amorosos; a ser mais meditativos, mais alertas, mais conscientes. Então a nossa relação de amor será um fenômeno espiritual. Mas, se estamos simplesmente destruindo um ao outro, isso não é nem mesmo amizade; é pura inimizade.

Portanto vocês têm que decidir. Sentem-se juntos, lá fora ao ar livre – não dentro do quarto, porque é ali que as brigas começam. Sentem-se lá fora, onde as pessoas passem, para que não possam brigar. Tenham uma conversa agradável. Os amantes se esquecem completamente de como é ter uma conversa agradável; todos eles começam a falar em marathi. Você já ouviu o marathi? Eu não consigo imaginar alguém que consiga amar outra pessoa conversando em marathi; sempre soa como uma briga. No polo oposto está outra língua da Índia, o bengali – você não consegue brigar em bengali. Mesmo brigando, é como se estivessem travando uma bela conversa.

Tenham uma boa e decisiva conversa, e sigam uma regra muito simples: que vocês estão juntos para ajudar um ao outro, não para se destruírem; para criar um ao outro, não para se matarem. Então tudo fica perfeitamente bem. Não existe nada errado com você, separadamente, e nada errado com ele, separadamente. Mas juntos vocês dois se transformam em guerreiros.

Quando eu digo que o seu amor precisa ser uma entrega, um não fazer, uma liberdade, quero dizer que ele não deve ser algo forçado. Não deve ser algo dependente da lei, de convenções sociais. Quero dizer que a única força de comando entre dois amantes é simplesmente o amor e nada mais. Esse amor pode durar muito ou durar pouco. Esse amor pode durar uma vida inteira ou pode acabar amanhã. É isso que eu chamo de entrega.

Existem pessoas que querem ser libertinas. Não é isso o que eu chamo de entrega. Não estou dizendo que você deve trocar de parceiro todo dia. Isso também seria forçado. Seria mudar de um extremo do casamento, em que você não pode mudar de parceiro, para o outro extremo, em que você *tem* que mudar de parceiro.

O que eu disse é para que você deixe que seja uma liberdade. Se vocês querem ficar juntos, muito bem. No dia em que quiserem se separar, separem-se com amor, com gratidão um pelo outro, por todos os momentos belos que deram um ao outro.

A partida deve ser tão bela quanto o encontro. Deve ser ainda mais *bela*, porque vocês viveram tanto tempo juntos que criaram raízes um no outro, mesmo que agora estejam se separando. Mas as lembranças assaltarão você. Vocês se amaram; não importa que agora achem difícil ficar juntos, houve um tempo em que queriam ficar juntos durante vidas e vidas. Portanto, partam sem nenhum conflito, sem nenhuma discussão. Vocês foram dois estranhos que se encontraram, e novamente se tornarão estranhos, mas com um grande tesouro que aconteceu entre vocês. Vocês precisam ser muito gratos um ao outro quando partirem.

Mas se o amor persiste, eu não disse que vocês têm que se separar. Disse que não têm que fazer nada contra ele. Se ele continuar durante a vida inteira, até o túmulo, isso também é muito bom. E, se durar apenas uma noite e, na manhã seguinte, vocês acharem que não tem nada mais a ver um com o outro, mas tiveram uma bela noite juntos, vocês precisam ser gratos por isso.

Muitas pessoas me interpretam mal. Elas acham que estou dizendo às pessoas, "Troquem de parceiros com a maior frequência possível!" Eu não estou dizendo isso. Estou simplesmente dizendo que, enquanto o amor for a única força de comando, fiquem juntos. No momento em que vocês dois começarem a sentir que algo ficou no passado, que não está mais presente... vocês podem até levar esse relacionamento adiante, mas estarão enganando um ao outro. É muito feio enganar um homem que você amou; é feio enganar a mulher que você amou. É melhor ser honesto e dizer, "Chegou a hora de nos separarmos, porque o amor acabou e não conseguimos mais amar um ao outro".

Existem coisas que chegam e vão embora naturalmente. Quando você se apaixona por alguém, não foi *você* quem decidiu. De repente aconteceu; talvez você não consiga nem explicar o motivo por que aconteceu. Você pode simplesmente dizer, "Descobri que estou apaixonado". Lembre-se do primeiro encontro e lembre-se também da maneira como o amor chegou; da mesma maneira ele vai embora. Um dia, de repente você acorda pela manhã e descobre que o amor se foi. O marido está ali, você está ali, mas aquilo entre vocês que era uma ponte, um fluxo constante de energia, desapareceu. Vocês são dois, mas você está sozinha e o outro está sozinho. Esse "juntos" não existe mais, e o mistério que mantinha vocês juntos não está mais nas suas mãos. Você não pode forçá-lo a voltar.

Milhões de casais estão fazendo isso, esperando que talvez ele volte, esperando que orações possam ajudar, que ir à igreja possa ajudar, receber as bênçãos de alguém possa ajudar, um conselheiro matrimonial possa ajudar – mas nada vai ajudar. Mesmo que, de algum modo, você consiga prender esse homem outra vez, você descobrirá que ele não é o mesmo homem, e ele descobrirá que você não é a mesma mulher. É melhor que se tornem estranhos outra vez. O que há de errado com isso? De volta à época em que eram estranhos, não há nada de errado nisso. De volta à época em que você não conhecia essa mulher, que você não conhecia esse homem, tudo estava muito bem. Agora novamente isso aconteceu e vocês voltaram a ser estranhos. Não há nada novo! Vocês deveriam ter consciência, desde o começo, de que algo misterioso tinha entrado em cena. Não foram vocês os responsáveis por isso. Naturalmente, esse algo misterioso pode ir embora e não há nada que possam fazer para impedir.

Tudo depende do amor. Se ele ficar por um longo período, bom. Se permanecer apenas por alguns breves instantes, isso é bom também, pois o amor é bom. O quanto ele dura não importa. É possível ter, em apenas alguns instantes, mais intensidade no amor do que você pode ter em anos. E essa intensidade lhe proporcionará algo do desconhecido, que em anos apenas se diluiria. Por isso a duração é irrelevante, a profundidade é tudo o que importa.

Enquanto estiver amando, mergulhe totalmente nesse amor. E quando ele se for, diga adeus e coloque um ponto final. Não deixe que fique uma ideiazinha na sua cabeça. Existem muitos estranhos disponíveis neste mundo – quem sabe? O amor deixou você para que possa encontrar um amor estranho melhor.

Os caminhos da vida são estranhos. Confie na vida. Você pode encontrar alguém que se revele um tremendo amor, e você verá que o seu primeiro amor não foi nada comparado a isso.

E, lembre-se, algum dia esse amor maior também pode acabar. Mas confie na vida, que tem lhe concedido muitas e muitas dádivas sem você pedir. Continue aberta.

O mundo é tão cheio de pessoas bonitas! Não há escassez. E toda pessoa tem algo que é único, que ninguém mais tem. Todo indivíduo dá ao amor uma cor, uma poesia, uma música que é só sua e que ninguém mais tem.

Confie na vida – esse é o meu entendimento básico, confie na vida porque nós nascemos dela, somos filhos da vida.

Confie na vida. A vida nunca trai ninguém. Talvez você tenha passado por uma classe e tenha que entrar em outra, com uma graduação mais elevada, um amor mais delicado, um fenômeno mais sofisticado – quem sabe? Só mantenha o coração aberto, pois a vida nunca frustra ninguém.

PARTE III

Do Relacionamento ao Relacionar-se – o amor como um estado de ser

Compreenda a natureza do amor e como nutri-lo

A capacidade de estar sozinho é a capacidade de amar. Pode parecer paradoxal para você, mas não é. Trata-se de uma verdade existencial: só as pessoas capazes de ficar sozinhas são capazes de amar, de compartilhar, de mergulhar no âmago mais profundo da outra pessoa – sem possuir o outro, sem se tornar dependente dele, sem reduzir o outro a um objeto, e sem ficar viciado no outro. Elas dão ao outro liberdade absoluta, pois sabem que, se o outro as deixar, elas serão felizes como são agora. A felicidade delas não pode ser levada pelo outro, pois não é concedida pelo outro.

Então por que elas querem companhia? Ela não é mais necessária; é um luxo. Tente entender. As pessoas de verdade amam umas às outras por luxo, não por necessidade. Elas adoram compartilhar; elas têm tanta alegria, que gostariam que essa alegria se derramasse sobre todas as pessoas. E sabem como tocar a vida como se ela fosse um instrumento solo.

O artista que faz um solo de flauta sabe apreciar o som da sua flauta. E, se ele encontra um percussionista, um percussionista que faz solos, eles apreciarão a companhia um do outro e criarão uma harmonia entre a flauta e os instrumentos de percussão. Ambos vão apreciar essa harmonia; ambos derramarão essa riqueza de sons um sobre o outro.

O "AMOR" É UM VERBO

O amor é existencial; o medo é só a falta de amor. E o problema com qualquer falta é que você não pode fazer nada diretamente com respeito a ela. O medo é como a escuridão. O que você pode fazer com a escuridão diretamente? Não pode fazê-la diminuir, não pode acabar com ela, não pode trazê-la. Não existe um meio de nos relacionarmos com a escuridão sem trazer a luz em cena. O caminho da escuridão passa pela luz. Se você quer escuridão, desligue a luz; se não quer escuridão, acenda a luz. Mas você terá que fazer alguma coisa com a luz, não com a escuridão.

O mesmo acontece com o amor e com o medo; o amor é a luz, o medo é a escuridão. A pessoa que fica obcecada com relação ao medo nunca será capaz de resolver o problema. É como brigar com a escuridão; você fatalmente acabará ficando exausto, cansado, derrotado. E o milagre é que será derrotado por algo que nem sequer existe! E, quando a pessoa é derrotada, ela sente como a escuridão é poderosa, como o medo é poderoso, como a ignorância é poderosa, como a inconsciência é poderosa. Eles não são poderosos coisa nenhuma; para começar eles nem existem.

Nunca lute contra o não existencial. Foi aí que todas as religiões se perderam. Depois que você começa a lutar contra o não existencial, você está condenado. O seu pequeno fluxo de consciência se perderá no deserto não existencial e esse deserto é infinito.

Portanto, não faça do medo um problema. O amor é a questão. É possível fazer algo com relação ao amor imediatamente; não é preciso esperar ou postergar. Comece a amar! E o amor é uma dádiva natural da existência para você, de Deus, do todo, seja qual for o termo que você prefira usar. Se você foi criado num ambiente religioso, então é Deus; se não foi, então é o todo, o universo, a existência.

Lembre-se, o amor nasceu com você; é uma qualidade intrínseca. Só é preciso lhe dar vazão – dar passagem a ele, deixá-lo fluir, deixar que ele aconteça.

Estamos todos bloqueando o amor, impedindo-o de fluir. Somos miseráveis quando o assunto é amor, pela simples razão de que nos ensinaram a economizar. Essa economia é perfeita para o mundo exterior: se você só tem uma quantia limitada de dinheiro e não para de distribuí-lo aos outros, logo se transformará num mendigo. Se só der dinheiro, sem nunca ganhá-lo, você o perderá. Essa economia, essa aritmética entrou no nosso sangue, nos nossos ossos, na nossa medula. Ela vale para o mundo exterior, e não há nada de errado com ela, mas não vale para a jornada interior. Ali funciona uma aritmética totalmente diferente: quanto mais você dá, mais tem; quanto menos dá, menos tem. Se não der nada, perderá as suas qualidades naturais. Elas ficarão estagnadas, bloqueadas; irão para os subterrâneos. Se não encontram meio de expressão, acabam definhando e se extinguindo.

É como o músico: quanto mais tocar o seu violão ou a sua flauta, mais música extrairá deles. Não é porque ele toca a flauta que está perdendo a música – está ganhando. É como o dançarino: quanto mais ele dança, mais habilidoso ele fica. É como a pintura; quanto mais você pinta, melhores são as suas pinturas.

Uma vez, enquanto Picasso pintava, um crítico amigo dele deteve-o em meio a uma pintura para dizer, "Uma pergunta não sai da minha cabeça e eu não consigo mais esperar para perguntar, não me contenho mais. Quero saber qual é a sua melhor pintura, dentre as centenas de pinturas que fez".

Picasso respondeu: "Esta que estou fazendo agora".

O crítico disse, "Esta? E quanto às outras que pintou antes dela?"

"Elas estão, todas, contidas nesta. E a próxima que eu fizer, será melhor ainda, porque quanto mais uma pessoa pinta, mais habilidade ela tem e mais grandiosa se torna a sua arte."

Assim é o amor e assim é a alegria – compartilhe-a! No começo serão apenas como gotas de orvalho, porque você foi miserável a vida toda, isso é muito antigo. Mas depois que essas gotas de amor forem compartilhadas, você conseguirá compartilhar todo o fluxo oceânico do seu ser, e você contém infinidades.

Depois que tiver conhecido a matemática mais elevada do dar e receber, você descobrirá que só dando você recebe. Não que você receba algo em troca; o próprio fato de dar torna você mais rico. O amor começa a se espalhar, a se irradiar. E um dia você se surpreenderá. Onde está o medo? Mesmo que você queira encontrá-lo, não conseguirá.

O amor não é um relacionamento. O amor se relaciona, mas não é um relacionamento. Um relacionamento é algo acabado. Um relacionamento é um substantivo; o fim já chegou, a lua de mel já acabou. Agora não existe mais alegria, mais entusiasmo, agora está tudo acabado. Você pode seguir adiante, mas só para não quebrar as suas promessas. Você pode manter o relacionamento porque é confortável, é conveniente, é acolhedor. Pode levá-lo adiante porque não há mais nada a fazer. Pode mantê-lo porque, do contrário, vai arranjar muito problema para você mesmo.

Relacionamento significa algo completo, acabado, fechado. O amor nunca é um relacionamento; o amor é relacionar-se. Ele é sempre um rio, fluindo, ininterrupto. O amor não sabe o que é fim; a lua de mel começa, mas nunca acaba. Não é como um romance, que começa num certo ponto e acaba em outro. Ele é um fenômeno contínuo. Os amantes chegam ao fim, o amor não. Ele é um continuum. É um verbo, não um substantivo.

Por que reduzir a beleza do relacionar-se ao relacionamento? Por que temos tanta pressa? Porque o relacionar-se é inseguro, e o relacionamento é uma segurança, ele tem uma certeza. O relacionar-se é só o encontro entre dois estranhos, talvez só uma noite juntos e uma despedida na manhã seguinte. Quem sabe o que vai acontecer amanhã? E temos tanto medo que queremos tornar o amor uma certeza, queremos torná-lo previsível. Gostaríamos que o amanhã estivesse de acordo com as nossas ideias; não o deixamos livre para ser como quiser. Por isso imediatamente reduzimos todo verbo a um substantivo.

Você se apaixona por uma mulher ou por um homem e imediatamente começa a pensar em se casar. Fazer um contrato legal. Por quê? O que a lei tem a ver com o amor? As leis interferem no amor, porque não existe amor nenhum. Ele é só uma fantasia, e você sabe que as fantasias acabam. Antes que ela acabe, é melhor estabelecê-la. Antes que acabe, é melhor fazer algo para tornar impossível a separação.

Num mundo melhor, com mais pessoas meditativas, com um pouco mais de iluminação espalhada sobre a Terra, as pessoas amarão, amarão imensamente, mas esse amor será um relacionar-se, não um relacionamento. E eu não estou dizendo que esse amor será momentâneo apenas. Há toda possibilidade que ele vá mais fundo do que o nosso amor, pode ter mais intimidade, pode ter mais poesia, pode ter mais divindade nele. Existe toda a possibilidade de que esse amor possa durar mais do que os chamados relacionamentos. Mas não será garantido por lei, pelos tribunais, pela polícia. A garantia será interior. Será um compromisso do coração. Será uma comunhão silenciosa.

Se você gosta de estar com alguém, vai querer gostar cada vez mais. Se você gosta da intimidade, vai querer explorá-la cada vez mais. E existem algumas flores do amor que só desabrocham depois de um longo período de intimidade. Existem flores sazonais também; em seis semanas elas já estão ao sol, mas basta mais seis semanas para que deixem de existir. Existem flores que levam anos para desabrochar, e existem aquelas que duram muitos anos. Quanto mais ela dura, mais profundamente vai.

Mas é preciso que seja um compromisso entre dois corações. Ele não precisa nem ser verbalizado, porque verbalizá-lo é profaná-lo. Ele precisa ser um compromisso silencioso: olho no olho, coração com coração, ser com ser. Tem que ser entendido, não dito.

É tão feio ver pessoas indo à igreja ou ao cartório para se casar! É tão feio, tão inumano! Simplesmente mostra que eles não confiam um no outro, confiam mais nas autoridades do que na sua voz interior. Mostram que, como não confiam um no outro, confiam na lei.

Esqueça os relacionamentos e aprenda a se relacionar. Depois que você entra num relacionamento, começa a não dar a devida importância ao outro. É isso que destrói qualquer caso de amor. A mulher acha que conhece o homem, o homem acha que conhece a mulher. Ninguém conhece! É impossível conhecer outra pessoa, ela vai ser sempre um mistério. E não dar o devido valor ao outro é insultuoso, é desrespeitoso!

Pensar que conhece o parceiro é muita falta de gratidão. Como você pode conhecer a mulher? Como pode conhecer o homem? Eles são processos, não são coisas. A mulher que você conheceu ontem não existe mais hoje. Quanta água já correu pelo Ganges! Ela é outra pessoa, totalmente diferente. Relacione-se outra vez, comece outra vez, não tome o outro como favas contadas.

E o homem com quem você dormiu ontem à noite, olhe o rosto dele pela manhã. Ele não é mais a mesma pessoa, mudou tanto! A mudança é incalculável! Essa é a diferença entre um objeto e uma pessoa. A mobília na sala é a mesma, mas o homem e a mulher não são mais os mesmos. Explore outra vez, comece outra vez. Isso é o que quero dizer por relacionar-se.

Relacionar-se significa que você está recomeçando, você está sempre tentando se familiarizar com a pessoa. Todos os dias, vocês estão se apresentando um ao outro. Estão tentando ver as muitas facetas da personalidade um do outro. Estão tentando penetrar mais fundo, cada vez mais fundo, no seu reino de sentimentos interiores, nos profundos recessos do seu ser. Estão tentando revelar o mistério que não pode ser revelado.

Essa é a alegria do amor: a exploração da consciência.

E, se você se relaciona e não reduz isso a um relacionamento, então o outro se tornará um espelho para você. Ao explorar o outro, sem saber você explora a si mesmo também. Mergulhando fundo no outro, conhecendo os seus sentimentos, os seus pensamentos, as suas emoções mais profundas, você estará conhecendo as suas próprias emoções mais profundas. Os amantes se tornam espelhos um para o outro, e o amor se torna uma meditação.

O relacionamento é feio, o relacionar-se é bonito.

No relacionamento, duas pessoas se tornam cegas em relação uma à outra. Basta pensar, quanto tempo faz que você não olha o seu amante nos olhos? Quanto tempo faz que não olha para ele? Talvez anos! Quem olha para a própria esposa? Você acha que já a conhece. O que mais há para olhar? Você está mais interessado nos estranhos do que nas pessoas que conhece; conhece toda a topografia dos seus corpos, sabe como eles reagem, sabe que tudo o que aconteceu vai continuar acontecendo, várias e várias vezes. É um ciclo repetitivo.

Mas não é, na verdade não é. Nada jamais se repete; tudo se renova a cada dia. Só os seus olhos são antigos, as suas suposições são antigas, o seu espelho juntou poeira e você se tornou incapaz de refletir o outro.

Por isso eu digo: relacione-se. Quando digo relacionar-se, quero dizer vivam continuamente em lua de mel. Continuem buscando um ao outro, descobrindo novas maneiras de se amar, novas maneiras de ser um com o outro. E toda pessoa é um mistério tão infinito, inexorável, impenetrável, que você não pode jamais dizer, "Eu já a conheço" ou "Eu já o conheço". Quando muito você pode dizer, "Tentei ao máximo, mas o mistério continua sendo um mistério".

Na verdade, quanto mais você conhece, mais misterioso o outro se torna. Então o amor se transforma numa constante aventura.

ACONSELHAMENTO DE CASAIS

Ideias para viver e crescer no amor

Nota do editor: as seleções a seguir foram extraídas dos encontros vespertinos em que Osho conversava com um casal ou com um dos parceiros, ou com uma pessoa que tivesse pedido o seu conselho a respeito de problemas no seu relacionamento.

Quando a telepatia não funciona

Quase sempre acontece de os casais não deixarem as coisas claras um para o outro. Você espera que o outro vá entender e ele também espera o mesmo de você: ele ou ela acha que você vai entender. Mas ninguém entende! Não existe comunicação, os problemas nunca são tratados de maneira clara. Você precisa deixar tudo muito claro: "Eu não vou interferir no seu modo de ser, você pode ser o que é – eu amo você e vou continuar amando –, mas e quanto a mim?" Assim pode-se encontrar um modo de lidar com as dificuldades. Vocês podem continuar juntos e mesmo assim você pode continuar tendo a sua individualidade e a sua liberdade. Se o casal realmente se amar, eles conseguirão lidar com o problema. Mas o que acontece é que nunca deixamos as coisas claras para o outro. Continuamos esperando que o outro nos compreenda telepaticamente. Ninguém compreende ninguém telepaticamente! O outro não é clarividente, você tem que ser exato: "Dois mais dois são quatro" – claro desse jeito. Mas o que acontece é que ninguém fala do problema real.

Entendendo a necessidade de espaço

Procurem se entender, conversar entre si e compreender que o outro às vezes precisa de espaço. E este é o problema: pode não acontecer ao mesmo tempo para vocês dois. Às vezes você quer estar com o seu parceiro e ele quer ficar sozinho – não há nada a fazer nesse caso. Você precisa entender e deixá-lo sozinho. Às vezes você quer ficar sozinha e ele quer ficar com você – então diga a ele que você lamenta, mas precisa do seu espaço!

Simplesmente procurem se entender cada vez mais. É aí que está a falha dos casais: o amor que eles têm é suficiente, mas o entendimento não é, não é mesmo. É por isso que o amor acaba perecendo no abismo dos desentendimentos. Ele não pode viver sem entendimento. Sozinho, o amor é muito tolo; com entendimento, ele pode ter uma vida longa, uma vida grandiosa – de muitas alegrias compartilhadas, de muitos momentos belos compartilhados, de grandes experiências poéticas. Mas isso só acontece por meio do entendimento.

O amor pode lhe dar uma breve lua de mel, mas nada mais do que isso. Só o entendimento pode lhe dar uma intimidade profunda. Então, mesmo que algum dia vocês se separem, o entendimento ficará com vocês dois, e essa será a dádiva do amor para ambos. O casal pode se separar, mas o entendimento a que se chegou por intermédio um do outro, na companhia um do outro, sempre estará com vocês. Isso ficará como uma dádiva, não pode haver outra. Se você ama uma pessoa, a única dádiva valiosa que pode dar a ela é uma certa dose de entendimento.

Lidando com os sentimentos negativos

O amor é sempre belo no começo, pois você não deixa que as suas energias destrutivas o afetem. No início você investe as suas energias positivas no amor; o casal combina as suas energias de modo positivo e as coisas vão de vento em popa. Mas, depois, pouco a pouco, as energias negativas começam a transbordar; você não pode retê-las para sempre. E depois que a sua energia positiva chegou ao fim, a lua de mel termina e começa a parte negativa. Então o inferno abre as suas portas e a pessoa não consegue entender o que está acontecendo. Uma relação tão bonita, por que está indo por água abaixo?

Se a pessoa está alerta desde o início, é possível salvar a relação. Derrame sobre ela as suas energias positivas, mas lembre-se de que cedo ou tarde o negativo começará a vir à tona. E quando o negativo começa a aparecer, você precisa liberar a energia negativa quando estiver sozinho. Tranque-se num quarto e dê vazão a toda essa energia; não há necessidade de despejá-la sobre a outra pessoa.

Se quiser gritar alto e ficar com raiva, entre num quarto e feche a porta – grite, fique furioso, bata num travesseiro. Pois ninguém deve ser tão violento a ponto de atirar coisas nas outras pessoas. Elas não fizeram nada contra você, então por que você deveria atirar coisas nelas? É melhor atirar tudo o que é negativo numa lata de lixo. Se se mantiver alerta, você se surpreenderá ao ver o que pode ser feito; e depois que o negativo for liberado, o positivo voltará a transbordar.

O negativo só pode ser liberado na companhia do parceiro numa etapa posterior do relacionamento, quando ele já estiver muito bem estabilizado. E mesmo assim, isso só deve ser feito como medida terapêutica. Só depois que os parceiros de uma relação estiverem muito alertas, muito positivos, consolidados num único ser e capazes de tolerar – e não apenas tolerar mas usar a negatividade do outro –, eles podem concordar em que já está na hora de serem negativos juntos também, como medida terapêutica.

Nesse caso, também, a minha sugestão é que deixem que isso seja algo muito consciente, não inconsciente; deixem que seja muito deliberado. Façam um acordo de que, toda noite, durante uma hora, vocês serão negativos um com o outro – façam disso um jogo –, em vez de serem negativos em qualquer lugar, a qualquer hora. Porque as pessoas não são muito alertas – durante 24 horas elas não são –, mas durante uma hora vocês podem se sentar juntos e serem negativos. Aí será um jogo, será como uma terapia em grupo! Depois de uma hora, vocês dão a coisa por encerrada e não levam mais nada adiante, não deixam que isso interfira no seu relacionamento.

O primeiro passo: o negativo deve ser extravasado quando você estiver sozinho. O segundo passo: o negativo deve ser extravasado num determinado horário, com o acordo de que ambos liberarão o negativo. Só no terceiro estágio vocês dois podem ser realmente naturais, pois não haverá receio de prejudicarem o relacionamento ou se magoarem. A essa altura, vocês poderão ser positivos e negativos, e ambos têm a sua beleza, mas só no terceiro estágio.

Num determinado ponto do primeiro estágio, você começará a sentir que agora a raiva não irrompe mais. Você se sentará diante do travesseiro e a raiva não tomará conta de você. Isso leva alguns meses, mas um dia você descobre que ela não está mais fluindo, passou a não ter mais sentido, você não consegue mais ficar com raiva sozinho. Nesse ponto termina o primeiro estágio. Mas espere até que a outra pessoa também sinta se o primeiro estágio chegou ou não ao fim. Se o primeiro estágio do parceiro também estiver completo, então o segundo estágio começa. Então, por uma ou duas horas – seja de manhã ou à noite, você decide – você estabelece um horário para expressar os seus sentimentos negativos deliberadamente. Faça isso como se fosse um psicodrama, de modo impessoal. Você não precisa ser agressivo – você descarrega o que sente, mas não sobre a pessoa. Na verdade, você está simplesmente extravasando a sua negatividade. Não está acusando o outro, não está dizendo, "Você é ruim!"; está simplesmente dizendo, "Eu estou achando você ruim!" Não está dizendo, "Você me ofendeu!"; está dizendo, "Eu me senti ofendido!" Isso é totalmente diferente, é um jogo deliberado; "Eu estou me sentindo ofendido, por isso descarrego em você a minha raiva. Você é a pessoa mais próxima de mim, por isso me serve de desculpa". E o outro faz o mesmo.

Chegará um momento em que, mais uma vez, você descobrirá que essa negatividade deliberada não funciona mais. Vocês se sentam juntos durante uma hora e nada vem à tona em você, nem no seu parceiro. Então o segundo estágio está acabado.

Agora vem o terceiro estágio, e o terceiro estágio dura a vida toda. Agora vocês estão prontos para serem positivos ou negativos à medida que esses sentimentos aflorarem; vocês podem ser espontâneos.

É assim que o amor se torna um relacionar-se, torna-se uma qualidade do amar, torna-se o estado natural do seu ser.

Rompendo os padrões de relacionamento negativos

Durante 24 horas, anote tudo o que você se lembre sobre como sabotou o seu relacionamento no passado – tudo em detalhes. Olhe o relacionamento por todos os ângulos e não repita esses padrões. Isso se tornará uma meditação, e se o relacionamento permanecer num novo relacionamento ou não, isso é secundário. Se você conseguir permanecer consciente enquanto faz isso, terá valido a pena.

Você sabe muito bem – todo mundo sabe, pois é impossível não saber o que se faz num relacionamento. Nos momentos de sanidade, você sabe muito bem. Nos momentos de insanidade, você se esquece; isso eu sei. Portanto, antes que surjam esses momentos de insanidade, olhe. Escreva todas as coisas que você sempre fez para sabotar o seu relacionamento e mantenha uma cópia disso com você. Sempre que surgir uma situação em que os antigos padrões possam se repetir, olhe para ela.

A pessoa precisa aos poucos ir ficando mais alerta, e depois disso tudo fica maravilhoso. O amor é tremendamente belo, mas pode se transformar num inferno. Por isso, primeiro você aponta todas as coisas e depois não as repete. Você ficará tão feliz, só por ser capaz de não repetir esses padrões, que sentirá uma certa libertação. Essas coisas são obsessivas; elas são como neuroses, um tipo de loucura.

E, sempre que duas pessoas estão se amando, elas ficam juntas para serem felizes: ninguém vive junto para ser infeliz. Mas é assim que as pessoas continuam sendo burras. Mais cedo ou mais tarde, elas começam a tornar um ao outro infeliz, e a coisa toda se perde. Todos os sonhos são estilhaçados e mais uma vez se tornam uma ferida.

O sentimento de que "algo está faltando"

Todo casal sente que algo está faltando, porque o amor nunca acaba. Ele é um processo, não uma coisa. Todo casal acaba sentindo que algo está faltando, mas não interprete isso mal. Isso simplesmente mostra que o amor em si é uma coisa dinâmica. É assim como um rio, sempre correndo, sempre em movimento. A vida do rio está justamente nesse movimento. Depois que ele para, se torna uma coisa estagnada; deixa de ser um rio. A própria palavra "rio" implica um processo, o próprio som nos suscita uma ideia de movimento*.

O amor é um rio; não é uma coisa, uma mercadoria. Por isso não pense que algo está faltando; isso faz parte do processo do amor. E é bom que ele não esteja completo. Quando algo está faltando, você tem que fazer algo a respeito, tem que se mexer. Esse sentimento de que "algo está faltando" é um chamado para patamares cada vez mais elevados. Não que se sentirá satisfeito quando alcançá-los. O amor nunca se sente satisfeito. Ele não conhece satisfação, mas é lindo, porque desse modo ele vive para sempre.

Em sintonia e fora de sintonia

E você sempre acha que alguma coisa está fora de sintonia. Isso também é natural, pois, quando duas pessoas se encontram, dois mundos diferentes também estão se encontrando. Esperar que eles se encaixem perfeitamente é esperar demais, é esperar o impossível, e isso provocará frustração. Algo sempre estará fora de sintonia. Se vocês se entrosarem perfeitamente e nada ficar fora de sintonia, o relacionamento ficará estagnado. No máximo, haverá alguns momentos em que tudo está em sintonia, raros momentos. Mesmo que esses momentos aconteçam, eles podem nem ser detectados,

---

* Osho está se referindo à palavra *river*, rio em inglês, pois nessa língua a terminação "er" muitas vezes indica o agente de uma ação, como *writer*, *worker*, etc.

pois são tão raros e fugidios! Mal chegam e já estão indo embora; não passam de um vislumbre. E esse vislumbre pode deixá-los mais frustrados, porque você começará a perceber que mais e mais coisas estão fora de sintonia.

É assim que tem que ser. Empenhe-se ao máximo para criar essa sintonia, mas esteja sempre preparado para o caso de ela não acontecer perfeitamente. E não se preocupe com isso, do contrário você ficará cada vez mais fora de sintonia. O sentimento de estar em sintonia só ocorre quando você não está preocupada com isso. Ele acontece apenas quando você não está tenso com relação a isso, quando não tem expectativas – ele surge do nada. Trata-se de uma graça, de uma dádiva da existência, uma dádiva do amor.

O amor não é uma coisa que você possa fazer. Mas, fazendo outras coisas, o amor pode acontecer. Existem coisinhas que você pode fazer – sentarem-se juntos, olhar a lua, ouvir música – nada diretamente relacionado ao amor.

O amor é muito delicado, muito frágil. Se você olha para ele, fixa os olhos nele diretamente, ele desaparece. Só aparece quando você está distraído, fazendo outra coisa. Você não pode atingi-lo diretamente, como uma flecha. O amor não é um alvo. Ele é um fenômeno muito sutil. É muito tímido. Se você encará-lo de frente, ele se esconde. Se fizer alguma coisa diretamente, você o perde.

O esfriamento das paixões

Se o amor se aprofunda muito, marido e mulher acabam se tornando irmãos. Se o amor vai muito fundo, a energia solar se torna uma energia lunar. O calor desaparece, ele esfria. E quando o amor se aprofunda, também podem acontecer mal-entendidos, pois ficamos tão acostumados com essa febre, essa paixão, esse excitamento, que agora isso parece uma tolice. É uma tolice! Se você faz amor, isso parece tolo; se não faz amor, você se sente como se algo estivesse faltando, porque isso se tornou um antigo hábito.

Então você precisa entender que esse esfriamento é que está se aproximando. E é claro que, quando vocês começam a se sentir como uma só pessoa, ficam com medo. Com medo do que vai acontecer, pois, se vocês dois começam a se sentir como uma pessoa só, começam a se esquecer um do outro. O outro pode ser lembrado apenas como "o outro". Os psicólogos dizem que, quando a criança começa a falar e a primeira palavra que aprende é "papai", a mãe fica magoada, porque é ela quem toma conta da criança e carregou a criança durante nove meses. Ela fica com a criança durante 24 horas por dia, mas a primeira palavra que ela aprende é "papai"? O pai está apenas na periferia e a mãe está tão próxima! Ela sente como se a criança a estivesse traindo!

Mas existe uma razão para isso: a mãe está tão próxima da criança que ela nem sequer consegue nomeá-la ainda – essa é a razão. Ela está tão unida à criança que esta não tem o sentimento de que ela seja "outra pessoa". O papai não está tão próximo; ele chega e vai embora, pela manhã vai para o escritório e depois só volta à noite; às vezes brinca um pouco com ela, mas depois vai embora outra vez. Ele está sempre de saída, por isso é percebido pela criança como "outra pessoa". A mãe está sempre presente, por isso a criança nem consegue pensar nela como alguém separado. Portanto, a primeira palavra que ela fala é "papai" e, depois, pouco a pouco, aprende a falar "mamãe". A terceira palavra que ela aprenderá é o próprio nome, porque isso é a coisa mais difícil para a criança.

Agora ela entende que a mãe também é um ser separado. Às vezes ela está com fome e a mãe não vem, e às vezes está molhada e a mãe está conversando com alguém e não percebe. Ela começa a perceber que ela é "outra pessoa", não está com ela o tempo todo. Mas ela está unida com ela mesma, por isso a última coisa que aprende é o próprio nome.

Então, quando o casal começa a sentir como se fossem uma pessoa só, o medo irrompe: "Você está perdendo o outro?" Num sentido, você está, porque o outro não será percebido como outra pessoa; disso decorre a ideia do amor fraternal. Por quê? O amor entre irmãos não tem excitamento; ele é uma coisa fria. É extremamente frio e calmo – nenhuma paixão, nenhuma sensualidade, nenhuma sexualidade.

E outra coisa é que os irmãos não escolhem um ao outro; trata-se de um fenômeno da vida. Um dia você de repente descobre que você é irmã de alguém ou irmão de alguém; não foi escolha sua. Os amantes se escolhem. Existe algo do ego na escolha de um amante. Quando se trata de um irmão ou de uma irmã, o ego não participa. Você não tem escolha; trata-se de uma dádiva da existência. Você não pode mudar isso, não pode ir até um juiz e dizer que quer se divorciar da sua irmã ou não quer mais ser irmão da sua irmã. Mesmo que você decida não ser mais irmão, continua sendo. Não faz diferença o que você quer ou não, não há jeito de mudar isso. É irrevogável, você não pode revogar.

Quando marido e mulher começam a sentir essa unidade, um medo vem à tona: será que você já não está valorizando o outro? Será que ele se tornou o seu irmão ou irmã e não é mais escolha sua, o seu ego não tem mais participação, os desejos dele não serão mais realizados? Todos esses medos vêm à tona. E, no passado, vocês tinham tanta paixão um pelo outro, havia tanta excitação! Você sabe agora que isso é uma tolice, mas, mesmo assim, é um antigo hábito... Às vezes a pessoa começa a sentir como se estivesse faltando algo, ela sente uma espécie de vazio. Mas não olhe para isso com as lentes do passado. Olhe a partir do futuro.

Muito vai acontecer nesse vazio, muito vai acontecer nessa intimidade – vocês dois vão desaparecer. A relação vai se tornar absolutamente assexual, toda a excitação desaparecerá, e então você conhecerá uma qualidade totalmente diferente de amor. A qualidade que surgirá em você eu chamo de devoção, de estado meditativo, de pura consciência. Mas isso ainda será no futuro, não aconteceu ainda. Você está a caminho disso. O passado se foi e o futuro ainda não chegou.

Esse período intermediário será um pouquinho difícil, mas não pense no passado. Ele já se foi e se foi para sempre; mesmo que tente, você não vai conseguir trazê-lo de volta. Será tão tolo, parecerá tão ridículo! Você não poderá arrastá-lo de volta, pode até tentar, mas não conseguirá e criará mais frustração. Por isso nem tente. Seja simplesmente amoroso de uma nova maneira. Deixe que esse novo amor lunar aconteça.

Abracem-se, sejam amorosos um com o outro, cuidem-se e não esperem o mesmo excitamento, pois ele era um tipo de loucura, um frenesi; é bom que ele tenha acabado. Por isso não pense que vocês não têm sorte. Não interprete mal as coisas.

Isso vai acontecer com todos os parceiros, se você realmente me ouvir e mergulhar fundo. Essa era a profundidade pela qual você estava pedindo quando disse que queria que o seu amor fosse mais profundo – é essa a profundidade! O amor passional está na periferia, o amor compassivo está no centro. Essa é a profundidade.

Simplesmente aproveite-o: sinta a felicidade, meditem juntos, dancem juntos. Se o sexo acabou, deixe que acabe; não forcem para que ele não acabe. Se alguma coisa acontecer, deixe que aconteça; se acabar, deixem que acabe.

Quando a emoção acaba

É muito difícil ficar apaixonado por muito tempo. É preciso uma grande transformação no seu ser. Só então você consegue ficar apaixonado por um longo período. O amor comum é uma coisa muito momentânea; ele vem e vai embora, começa e termina, tem começo e tem fim. Por isso, em vez de racionalizá-lo, simplesmente olhe o fenômeno de que você não está mais apaixonado. É difícil! Não é que não exista mais amor, é que a energia de algo modo não está mais fluindo. Como isso pode acontecer? O amor é uma energia; se existe amor, a energia fluirá.

Talvez você esteja apaixonado pelo seu amor do passado, isso é possível. Talvez você esteja apaixonado pelas suas lembranças do passado – como as coisas eram belas naquele tempo e como a energia fluía entre vocês, e agora não está fluindo. Trata-se de uma ressaca do passado. Você está sempre pensando no passado, e quer que o presente seja como o passado. Mas ele não pode ser. O presente é totalmente diferente do passado, e é bom que ele seja diferente! Se fosse apenas uma repetição do passado, você ficaria enjoado, completamente entediado.

Portanto, ambos os parceiros têm que olhar a realidade e tentar descobrir a verdade. Se vocês não se amam mais, então uma coisa pode ser feita: vocês podem ser amigos. Não há necessidade de se forçarem a continuar sendo amantes, e o amor não pode ser forçado. Se vocês o forçarem, será hipocrisia e a hipocrisia nunca satisfaz ninguém.

Por isso, simplesmente olhe a coisa. Vocês foram amantes no passado, portanto podem pelo menos ser amigos. Basta olharem! Pode ser que, se decidirem ser amigos, o amor comece a fluir novamente, porque vocês começarão a se sentir livres outra vez, começarão a se tornar indivíduos outra vez; a segurança não existirá mais, aqueles elementos que destruíram o amor de vocês não existirão mais. Existe a possibilidade de o amor começar a fluir novamente.

Assim como vocês se uniram um dia, agora se separam e se tornam amigos. Primeiro o amor aconteceu: vocês foram amigos e acabaram ficando juntos. O amor brotou da amizade e acabou se tornando um relacionamento, mas sem a amizade; então ele se extinguiu. Se você realmente quer que ele renasça – e eu não estou dizendo aqui que isso seja uma certeza, ninguém pode garantir nada a esse respeito –, existe uma possibilidade de que ele possa reviver. Ou, mesmo que ele não reviva, você pode reviver as suas energias amorosas com outra pessoa, enquanto o seu parceiro pode amar outra pessoa.

Sempre se lembre de uma coisa: estar apaixonado é bom – essa é uma grande virtude. Se o amor não estiver fluindo com uma pessoa, então é melhor que ele flua com outra. Não o deixe estagnado, do contrário você sofrerá, fará o seu parceiro sofrer e ambos sofrerão. E o problema é que se você sofrer por muito tempo, você ficará viciado nesse sofrimento. Então começará a sentir um tipo de alegria no próprio sofrimento. Pode se tornar masoquista, e depois será muito difícil sair disso. O problema fica muito maior.

Hora de dizer adeus

Converse com o seu parceiro, seja sincera, e peça que ele também seja sincero. Vocês se amaram; pelo menos isso vocês devem um ao outro. Sinceridade, absoluta sinceridade. Coloquem todas as cartas na mesa e não tentem esconder nada; porque isso não vai adiantar. Só a verdade adianta.

As mentiras nunca adiantam, elas só podem adiar o problema e, enquanto isso ele vai ficando cada vez mais enraizado em você. Portanto, quanto antes resolvê-lo melhor.

Converse com o seu parceiro; seja honesta, mesmo que isso doa. Fale para ele que vai doer, mas não há nada com que ele deva se preocupar. Vocês foram felizes juntos; se doer, isso também tem que ser enfrentado. Seja absolutamente verdadeira – nada de fazer alguém de bode expiatório, nada de caça às bruxas, nada de racionalização. Seja simplesmente verdadeira. Olhe dentro de si mesma, abra o coração e ajude o parceiro a também ser verdadeiro. Se o amor acabou, então sejam amigos, não é preciso forçar nada.

Nunca traia o amor. Os amantes se transformam. Isso não é problema, não deveria ser; não deveríamos nos apegar muito às pessoas. Deixe que haja apenas um compromisso, e esse compromisso tem de ser o próprio amor! Ame com amor, o resto é secundário.

E seja corajosa, essa coragem vai ajudar. De outro modo, vocês dois podem fingir que realmente deveriam ficar juntos por causa disto ou daquilo, e vocês vão continuar infelizes. Nunca viva infeliz nem por um instante. Viva perigosamente, porque essa é a única maneira de se viver.

A agonia e o êxtase da honestidade

Dizem que, se todo mundo começar a dizer a verdade, não haverá mais amizade no mundo, nenhum tipo de amizade: nada de amantes, nada de amigos, nada de casamento, nada de nada. Todas essas coisas simplesmente desaparecerão. Só existirá um grande grupo social em conflito, toda situação será um grupo em conflito; seja onde for ou o que for.

Mas a pessoa pode ir mais devagar, principalmente no relacionamento íntimo. E se ambos estiverem dispostos a ir mais fundo na sinceridade e na honestidade, valerá a pena. O amor se aprofundará; ele terá algo de transcendente. Se vocês conseguirem ser honestos e, mesmo assim, ficarem juntos, se conseguirem sofrer a agonia que a honestidade provoca, então um dia o êxtase que a honestidade, e só ela, provoca, virá em seguida.

O medo não está sempre errado

Às vezes a sua energia precisa ser deixada em paz, às vezes acontece de você precisar ficar consigo mesmo. E, quando você pensa em se envolver com alguém, surge uma hesitação que pode parecer medo. Mas o medo não está sempre errado, lembre-se. Nada está sempre errado; tudo depende. As pessoas acham que o medo está sempre errado – ele não está. Sim, às vezes está, mas às vezes não. Nada está sempre certo e nada está sempre errado; tudo depende do contexto.

Neste exato momento, o seu medo está perfeitamente certo. Ele diz simplesmente para você "não se envolver". Não se trata do medo do novo, nada disso; essa é uma interpretação equivocada. Trata-se simplesmente do medo de que, se você se envolver com a energia de outra pessoa agora, acabará perdendo o centramento que está crescendo dentro de você. Você está se tornando mais centrado, está se assentando mais no seu ser. Está chegando a um acordo com a sua solidão e, se cair em outro relacionamento, isso arrastará você para fora de si. Se o movimento é introspectivo, o relacionamento puxa você para fora, e isso pode criar contradição. Por isso o medo. O medo é realmente útil nesse caso; ele mostra que você não é tolo.

Fique sozinho. Quando o medo acabar, volte-se para um relacionamento; aí será perfeito. O medo desaparecerá – quando ele chegar ao fim, quando você se assentar, quando a energia estiver exatamente como deveria ser dentro de você, então você pode se atrever a sair. Primeiro você precisa se aquietar por dentro, depois é fácil sair, e não haverá distrações. Na verdade, isso se tornará uma intensificação do interior, por causa do contraste. É como umas pequenas férias do mundo interior, mas você sempre pode voltar. Então não será destrutivo, será criativo. Nesse caso o amor ajuda a meditação.

Então simplesmente espere. Ouça o seu medo e não o reprima. Ele desaparecerá por conta própria. Quando a energia estiver pronta para se exteriorizar, você perceberá um dia que está se aproximando de alguém e não sentirá nenhum medo; todo o seu ser estará com você. Quando isso acontecer, então volte-se para o relacionamento. Até lá, evite-o.

Assombrado pelo passado

Não é preciso esquecer! Continue se lembrando! Você está tentando esquecer o amor que perdeu – mas quem consegue esquecer tentando esquecer? Quanto mais tentar esquecer, mais se lembrará, porque até para se esquecer você tem que se lembrar! Não tente esquecer. Faça disso uma meditação. Quando se lembrar do seu antigo parceiro, simplesmente feche os olhos e lembre-se da pessoa o mais profundamente possível, e logo você se esquecerá.

Entrosamento imperfeito

Só duas coisas mortas podem se entrosar totalmente uma com a outra. A vida defende a si mesma, luta, briga, clama para que reparem nela, tenta dominar. A vida é vontade de poder, por isso existe conflito. Isso é intrínseco à vida. E ninguém quer ser dominado; todo mundo quer dominar. O relacionamento existe entre esses dois extremos.

Um relacionamento é um milagre. Ele não deveria acontecer de verdade, cientificamente não deveria acontecer. Acontece porque ainda não somos científicos. E é bom que ainda não sejamos científicos; e nunca seremos absolutamente científicos. Sempre restará algo de ilógico no coração do homem. É isso que mantém viva a chama da humanidade; do contrário o homem se torna uma máquina. Só as máquinas são totalmente ajustadas; as máquinas nunca ficam mal-ajustadas.

Por isso esse é o problema enfrentado por todo casal: quando existe um conflito total, tudo é destruído. Não existe uma ponte entre você e o outro; não existe relacionamento. Se existe um ajustamento total, também acaba o relacionamento, porque não existe mais fluxo, não existe mais esperança. Só entre esses dois extremos, exatamente a meio caminho entre o ajustamento e o conflito, um pouco de ajustamento e um pouco de conflito – e eles andam juntos. Parecem contraditórios, mas complementam um ao outro.

Se a pessoa conseguir se lembrar disso, ela não perde a sanidade; do contrário, um relacionamento pode enlouquecê-la. Existem momentos em que um relacionamento pode deixar uma pessoa insana, quando ele fica intolerável. Por isso, nunca peça por um ajustamento total. Só um pouquinho é mais do que o suficiente. Sinta-se grato por isso; e deixe que o relacionamento continue sendo um fluxo. Fiquem juntos, mas não tentem se transformar numa só pessoa. Fiquem juntos, mas não se desliguem completamente um do outro. Continuem sendo duas pessoas e, ainda assim, em contato. Isso é o que eu quero dizer quando falo para que fiquem no meio-termo. E vivam um pouquinho mais alerta. A pessoa precisa estar um pouco mais consciente quando ela está voltada para o amor, e tem que ser mais cuidadosa com o outro. Faça o que fizer, isso vai afetar o outro.

Dar e receber

Se num relacionamento, uma pessoa vive dando e a outra recebendo, ambas vão sofrer. Não apenas quem dá – porque ele vai se sentir enganado –, mas quem recebe também sofrerá, pois ele só pode crescer se o outro deixar que ele dê também. Ele se torna um mendigo e a sua autoimagem fica arruinada. Ele precisa ser fortalecido e ter a oportunidade de dar também. Aí ele se sentirá humano; se sentirá confiante.

Não apenas sexo

Seja muito observador, seja amoroso, e, se às vezes o sexo acontecer como parte do amor, não há por que se preocupar com isso. Mas o sexo não deve ser o foco. O foco deve ser o amor. Você ama uma pessoa, você compartilha o seu ser. Você compartilha o seu ser com ela, você compartilha o espaço.

É isso exatamente o que o amor é: algo que cria espaço entre duas pessoas, um espaço que não pertence nem a uma nem a outra, mas a ambas – um pequeno espaço entre duas pessoas, onde ambas podem se encontrar e se fundir. Esse espaço não tem nada a ver com espaço físico. Ele é simplesmente espiritual. Nesse espaço você não é você e o outro não é o outro. Vocês dois entram nesse espaço e se encontram. Isso é que é amor. Se o amor crescer, então esse espaço em comum se torna cada vez maior e ambos os parceiros se diluem nele.

Por isso, às vezes, se você compartilha um espaço com alguém, um marido, amigo ou outra pessoa qualquer, e o sexo acontece como um fenômeno espontâneo – não algo com que você se preocupe, não algo a se buscar, não algo que você esteja planejando – então ele não é sexual.

Existe um tipo de sexo que não é absolutamente sexual. O sexo pode ser belo, mas a sexualidade não. Quando digo "sexualidade" eu estou me referindo ao sexo cerebral – pensar nele, planejá-lo, manejá-lo, manipulá-lo e fazer muitas coisas, mas a coisa básica que permanece no fundo da mente é que a pessoa está se aproximando de um objeto sexual.

Quando você olha uma pessoa com os olhos desse tipo de sexualidade, você reduz o outro a um objeto. O outro deixa de ser uma pessoa e todo o jogo é apenas de manipulação. Você vai acabar na cama mais cedo ou mais tarde. Só depende do quanto você brinque com essa ideia e do quanto vocês dois prolongarem as preliminares. Mas, se na mente, o objetivo é apenas o sexo, então se trata da sexualidade de que eu estou falando. Quando a mente não tem nada a ver com sexo, então se trata de sexo inocente, puro. Trata-se de um sexo virginal.

Esse sexo pode às vezes ser até mais puro do que o celibato, porque, se um celibatário pensar continuamente em sexo, então não se trata de um celibato. Quando a pessoa mergulha num relacionamento de amor mais profundo com alguém, sem pensar em sexo, mas ele acontece porque ela se envolve tão profundamente que ele acontece, então está tudo bem e não há nada com que se preocupar. Não se sinta culpado por causa disso.

Clima tempestuoso

Num único instante, uma pessoa pode mudar completamente. Ela era tão feliz e se torna infeliz. Um segundo atrás ela estava pronta para morrer por você, e agora está pronta para matá-lo. Mas é assim que é a humanidade. Ela confere profundidade, surpresas, tempero. Do contrário a vida seria muito entediante.

Tudo é muito bonito. São todas elas notas de uma grande harmonia. E, quando você ama uma pessoa, você ama essa harmonia e aceita todas as notas que fazem parte dela. Às vezes está chovendo, às vezes o céu está cinza e cheio de nuvens, e às vezes está cheio de luz do sol e as nuvens desaparecem. Às vezes está muito frio e às vezes, muito quente. Exatamente do mesmo modo, o clima humano também vive mudando, tudo vive mudando. Quando você ama uma pessoa, ama todas essas possibilidades. Infinitas são as possibilidades, e você ama todos os matizes e nuanças.

Portanto, seja verdadeiro e ajude o seu parceiro a também ser verdadeiro. Desse modo o amor se torna um crescimento. Do contrário, ele pode ficar uma coisa venenosa. Pelo menos não corrompa o amor. Ele não é corrompido pelo ódio, lembre-se; ele é corrompido pela falsidade. Ele não é destruído pela raiva, jamais, mas é destruído por uma persona não autêntica, uma face falsa.

O amor só é possível quando existe liberdade para a pessoa ser ela mesma sem temor, sem reservas. Ela está simplesmente fluindo. O que você pode fazer? Quando está cheio de ira, está cheio de ira. Se o céu se cobre de nuvens e se o sol está brilhando, o que você pode fazer? E, se o outro entender e amar você, ele aceitará; ajudará você a dissipar as nuvens, pois ele sabe que se trata apenas de um clima, algo temporário. São apenas disposições de humor, fases passageiras, e por trás delas está a realidade, o espírito da pessoa, a alma. E, se você aceita todas as fases, pouco a pouco vislumbres da alma verdadeira começam a acontecer para você.

Doce pesar

A solidão tem em si algo de tristeza, algo de pesar, e mesmo assim uma profunda paz e silêncio. Tudo depende do modo como você olha para ela.

Se você se separou do ser amado, olhe para isso como uma grande oportunidade de estar sozinho. Então a visão muda. Olhe para isso como uma oportunidade para ter o seu próprio espaço. Está ficando cada vez mais difícil termos o nosso próprio espaço, e a menos que o tenhamos, nunca nos familiarizaremos com o nosso próprio ser, nunca chegaremos a conhecer a nós mesmos. Estamos sempre ocupados, envolvidos em milhares de coisas – relacionamentos, compromissos do dia a dia, preocupações, projetos, o futuro, o passado –, vivemos continuamente na superfície.

Quando a pessoa está sozinha, ela pode começar a se aquietar, a assentar. Pelo fato de não estar ocupada ela não estará se sentindo da maneira como sempre se sentiu. Será diferente, e essa diferença pode parecer muito estranha.

E certamente, quando a pessoa está separada, ela perde os seus amores, os seus entes queridos, os seus amigos, mas isso não será para sempre. É só uma pequena disciplina. E, se você se ama profundamente e mergulha fundo em si mesmo, estará ainda mais preparado para amar profundamente, pois só a pessoa que se conhece consegue amar profundamente. Se você vive na superfície, o seu relacionamento não pode ser profundo. Afinal de contas, é o seu relacionamento. Se você tem profundidade, então o seu relacionamento terá profundidade.

Por isso, considere essa oportunidade uma bênção e aproveite-a. Delicie-se com ela. Se você lamentar muito, toda a oportunidade estará perdida.

E ela não é contra o amor, lembre-se. Não se sinta culpado. Na verdade, ela é a própria fonte do amor. O amor não é o que costumamos pensar. Não é isso. Não é uma mistura de sentimentalismo, emoções e sentimentos. É algo muito profundo, muito fundamental. Trata-se de um estado de espírito, e esse estado de espírito só é possível quando você penetra no seu próprio ser, quando você começa a se amar. Esta é a meditação quando a pessoa está sozinha: ame a si mesmo tão profundamente que, pela primeira vez, você se torna o seu próprio objeto de amor.

Portanto, nesses dias em que estiver sozinho, seja narcisista; ame a si mesmo, delicie-se consigo mesmo! Delicie-se com o seu corpo, com a sua mente, com a sua alma. E aproveite o espaço que está vazio à sua volta e preencha-o com amor. Não existe nenhum amante ali, preencha-o com amor! Espalhe o seu amor pelo seu espaço, e ele começará a ficar luminoso, reluzente. E então, pela primeira vez, você saberá, quando o seu amante se aproximar de você, que agora esse amor tem uma qualidade totalmente diferente. Na realidade, você tem algo para dar, compartilhar. Agora você pode compartilhar o seu espaço, porque você *tem* o seu espaço.

As pessoas comuns acham que elas estão compartilhando, mas elas não têm nada para compartilhar – nenhuma poesia no coração, nenhum amor. Na verdade, quando elas dizem que querem compartilhar, não querem dar nada, porque não têm nada para dar. Elas estão em busca de alguém que lhes dê algo, e o outro está no mesmo barco. Ele está procurando tirar algo de você, e você está tentando tirar algo dele. Ambos estão, de certo modo, tentando roubar algo do outro. Por isso o conflito entre os amantes, a tensão; a tensão contínua para dominar, para possuir, para explorar, para fazer do outro um meio para atingir o prazer; para de algum modo usar o outro para a sua própria gratificação. É claro que escondemos tudo isso atrás de lindas palavras. Dizemos, "Queremos compartilhar", mas como você pode compartilhar algo que não tem?

Portanto, aproveite o seu espaço, a sua solidão. Não o preencha com lembranças do passado nem com fantasias acerca do futuro. Deixe-o como está – puro, simples, silencioso. Delicie-se com ele; brinque, cante, dance. É uma grande alegria estar sozinho!

E não se sinta culpado. Isso também é um problema, porque os casais sempre se sentem culpados. Se estão sozinhos e se sentem felizes, eles se sentem culpados. Pensam, "Como uma pessoa pode ficar feliz longe do ser amado?" – como se você estivesse enganando a outra pessoa. Mas, se você não consegue se sentir feliz quando está sozinho, como vai conseguir se sentir quando estiverem juntos? Portanto isso não é uma questão de enganar ninguém. À noite, quando ninguém está olhando, a roseira está preparando a rosa. Lá nas entranhas da terra, as raízes estão preparando a rosa. Ninguém está olhando. Se a roseira pensar, "Só mostrarei as minhas rosas quando houver alguém por perto", ela não terá nada para mostrar. Não terá nada para compartilhar, porque qualquer coisa que você possa compartilhar primeiro tem que ser criada, e toda a criatividade surge das profundezas da solidão.

Portanto, deixe essa solidão ser um útero, e aproveite-a, delicie-se com ela; não sinta que está fazendo alguma coisa errada. Trata-se de uma questão de atitude e maneira de ver. Não dê a interpretação errada. A solidão não precisa ser algo para se lamentar. Ela pode ser cheia de paz e felicidade, depende de você.

O teste de fogo da verdade

Nenhum relacionamento pode crescer se você continuar evitando se expor. Se você continuar sendo astuto, erguendo salvaguardas, se protegendo, só as personalidades se encontrarão e os centros essenciais continuarão sozinhos. Só a sua máscara estará se relacionando, não você. Sempre que algo assim acontece, existem quatro pessoas no relacionamento, não duas. Duas pessoas falsas continuam se encontrando, e duas pessoas verdadeiras continuam separadas uma da outra.

Existe um risco. Se você for verdadeiro, ninguém sabe se esse relacionamento será capaz de compreender a verdade, a autenticidade; se esse relacionamento será forte o suficiente para vencer a tempestade. Existe um risco, e por causa dele, as pessoas continuam se protegendo. Elas dizem o que deve ser dito, fazem o que deve ser feito. O amor se torna algo como um dever. Mas assim a realidade continua faminta, e a essência não é alimentada, e vai ficando cada vez mais triste. As mentiras da personalidade são um fardo muito pesado para a essência, para a alma. O risco é real, e não existem garantias, mas eu lhe digo que o risco vale a pena.

No máximo, o relacionamento pode acabar. Mas é melhor se separar e ser verdadeiro do que ser falso e viver com outra pessoa, pois esse relacionamento nunca será gratificante. As bênçãos nunca recairão sobre vocês. Você continuará faminto e sedento, e você continuará se arrastando pela vida, só esperando que algum milagre aconteça.

Para que o milagre aconteça, você precisa fazer alguma coisa: comece sendo verdadeiro, com risco de que o relacionamento possa não ser forte o bastante para resistir a isso. A verdade pode ser dura demais, insuportável, mas nesse caso o relacionamento não vale a pena. Por isso é preciso passar pelo teste.

Depois que for verdadeiro, todo o restante se torna possível. Se você for falso – só uma fachada, uma coisa artificial, um rosto, uma máscara –

nada é possível. Porque com o falso, só o falso acontece; com o verdadeiro, só a verdade.

Eu entendo o seu problema. Esse é o problema de todos os casais: eles têm medo dessa atitude de ir mais fundo. Eles vivem se perguntando se esse relacionamento será forte o bastante para suportar a verdade. Mas como você vai saber de antemão? Não há como saber. A pessoa precisa fazer para saber.

Como você vai saber, sentado na sua casa, se conseguirá vencer a tormenta e o vento lá fora? Você nunca esteve numa tormenta. Vá e veja. Tentativa e erro é a única maneira – vá e veja. Talvez você seja derrotado, mas até nessa derrota você se tornará mais forte do que é agora.

Se uma experiência derrota você, depois outra e outra, pouco a pouco a própria vivência da tempestade vai tornando você mais forte. Chega um dia em que você simplesmente começa a se deliciar com a tempestade, você simplesmente começa a dançar na tempestade. Então ela deixa de ser sua inimiga. Isso também é uma oportunidade – uma oportunidade delirante – para *ser*.

Lembre-se, o *ser* nunca acontece de modo confortável; do contrário aconteceria a todos. Ele não pode acontecer de modo conveniente; de outro modo todo mundo teria o seu próprio ser autêntico sem nenhum problema. O *ser* só acontece quando você assume riscos, quando você enfrenta o perigo. E o amor é o maior perigo que existe. Ele exige você totalmente.

Portanto não tenha medo, mergulhe de cabeça. Se o relacionamento sobreviver à verdade, será maravilhoso. Se ele perecer, isso também é bom, porque um relacionamento falso chegou ao fim, e agora você poderá iniciar outro – mais verdadeiro, mais sólido, mais relacionado à essência.

Nunca peça a simpatia do outro

Seja simplesmente feliz. Um relacionamento não é mais importante do que ser feliz. E, se você é feliz, por que vai se aborrecer com um relacionamento?

O relacionamento não é criativo, ele simplesmente reflete o que acontece. É como um espelho: se houver alguma coisa para ser refletida, o espelho reflete. Se não houver nada, o espelho não cria nada; ele é passivo. Por isso lembre-se sempre de ser feliz, de aproveitar a vida, e se algo cruzar o seu caminho, ótimo. E isso vai acontecer, porque uma pessoa feliz precisa compartilhar. Só que tem que esperar um pouco, porque uma pessoa feliz só atrai outra pessoa feliz.

Se você é infeliz, você atrairá muitas pessoas, pois elas também são infelizes e vocês vão se entrosar. Existe um messias, um terapeuta em todo mundo. Por isso, quando você está infeliz, vem alguém e simpatiza com você e se sente muito bem, muito animado. Alguém está infeliz e ele é quem vai ajudar; ele se sente muito egoísta com relação a isso. Por isso é assim que as pessoas se interessam umas pelas outras. Alguém está sofrendo, alguém sente dor; essa pessoa atrairá muitos simpatizantes, amantes, amigos.

Eles serão de todos os tipos. Podem ser sádicos interessados na infelicidade de outras pessoas. Existe uma grande maioria de sádicos neste mundo! Ou talvez eles estejam apenas numa viagem do ego. Qualquer pessoa infeliz os ajuda a se sentirem felizes quando se comparam, por assim dizer, por isso eles sempre gostam de ter pessoas infelizes à sua volta. Esse é o único jeito que eles conhecem.

Lembre-se, simpatia não é amor, e, se alguém é simpático com você, cuidado! Não é amor, e essa simpatia só durará enquanto você estiver infeliz. Quando você se sentir feliz, a simpatia acabará, porque ela não dura muito. É como água fluindo morro abaixo; ela corre na direção de quem é mais infeliz do que você. A simpatia nunca se eleva, ela não pode. Ela não tem um sistema de bombeamento; a sua simpatia não pode se elevar para atingir uma pessoa que tenha um astral mais alto do que o seu.

Por isso nunca peça a simpatia dos outros, porque isso corrompe você e o outro também. E, se você se acomodar nessa simpatia e começar a achar que isso é amor, estará se contentando com uma moeda falsa. Ela só lhe dá o sentimento de amor, não o amor verdadeiro.

O amor verdadeiro não sente simpatia, não se condói. O verdadeiro amor sente *empatia*. Ele é empático, não simpático. Simpatia, nesse contexto, quer dizer: "Você é infeliz, e eu gostaria de ajudá-lo. Eu vou ficar de fora. Vou estender a minha mão, mas não vou me deixar afetar por você. Na verdade, lá no fundo estou gostando. Fico satisfeito que uma pessoa me dê a oportunidade de me sentir tão bem". Isso é violento.

A empatia é totalmente diferente. Empatia significa "Eu posso sentir o que você sente, se você se sente infeliz, isso me toca, me afeta. Não como se eu estivesse fora, mas como se eu fosse parte do seu ser".

Amor é empatia; não é de modo algum simpatia.

Então lembre-se disso, e resista à tentação de pedir por simpatia. Essa tentação existe, porque quando a pessoa sente que existe amor, ela começa a se contentar com menos. Começa a viver triste e pedir simpatia de maneiras sutis. Nunca peça isso. Essa é a maior degradação que pode acontecer a um ser humano. Nunca faça isso. Seja feliz.

Leva algum tempo para o amor acontecer, porque a maioria das pessoas é sádica, elas próprias são infelizes e ávidas para provar que são messias, prestativas, dispostas a resolver as angústias dos outros. Mas, se você é feliz, atrairá alguém que não está preso em todas essas armadilhas neuróticas; que é simplesmente feliz e gostaria de compartilhar essa felicidade com você.

E essa é a beleza disso: se você é feliz e começa a travar um relacionamento, você se sente bem, você compartilha, mas não se sente dependente disso. Você não se torna um escravo, não fica viciado nisso, porque você pode ser feliz sem isso.

Um bom relacionamento é um compartilhamento; não existe dependência. Os parceiros continuam totalmente livres e independentes. Ninguém possui ninguém, não existe essa necessidade. Trata-se de uma dádiva. Eu tenho tanto para dar, então vou dar a você. Não há necessidades, eu posso viver sozinho e ser perfeitamente feliz. Quando duas pessoas estão apaixonadas e ambas podem viver sozinhas e felizes, um amor extremamente bonito acontece, pois eles não estão prejudicando o crescimento um do outro.

Esteja atento ao momento

Sempre que ocorre uma mudança, qualquer tipo de mudança, as coisas ficam mais nítidas. Quando a mudança incomoda você, todas as suas perturbações interiores vêm à tona. Quando vocês dois estão se sentindo perturbados, e ambos estão tentando jogar a responsabilidade nos ombros do outro, tente ver o que está acontecendo. Tente ver dentro de você; o outro nunca é responsável. Lembre-se disso como um mantra: o outro nunca é responsável.

Só observe, nada mais do que isso. E se você for sábio no momento, não haverá nenhum problema. Todo mundo só se torna sábio depois que o momento passou, e a sabedoria retrospectiva não vale nada. Se você está acusando a outra pessoa, precisa tomar consciência nesse exato momento, e deixar que essa consciência funcione. Imediatamente você descartará essa acusação.

Mas, se você já fez tudo – brigou, resmungou, reclamou – e depois recuperou a sabedoria e viu que nada daquilo fez sentido, é tarde demais. Não adianta mais, o leite já foi derramado. Essa sabedoria é apenas uma pseudossabedoria. Ela dá a você a sensação de que compreendeu. Esse é um truque do ego. Essa sabedoria não vai ajudar em nada. Quando estiver fazendo alguma coisa, nesse exato momento, simultaneamente, a consciência precisa despertar para que você veja que isso é inútil.

Se você conseguir ver isso no momento exato, não conseguirá ir adiante. A pessoa nunca vai contra a própria consciência, e se for, isso é sinal de que essa consciência não é consciência coisa nenhuma. Trata-se de outra coisa.

Então, lembre-se, o outro nunca é responsável por nada. Trata-se de algo fervendo dentro de *você*. E é claro que a pessoa que ama está próxima a você. Você não pode jogar a culpa num estranho que passe por você na rua, por isso a pessoa mais próxima torna-se o alvo para o qual você dirige todas as suas insensatezes. Mas isso precisa ser evitado, porque o amor é muito frágil. Se você exagerar, se for além da conta, o amor pode acabar.

O outro nunca é responsável. Tente fazer disso um estado permanente de consciência em você: sempre que começar a ver algo errado na outra pessoa, lembre-se. Sempre que se pegar em flagrante, você vai se lembrar de que o outro não é responsável.

SÓ O AMOR PERMANECE

Só depois que você tiver cultivado um amor profundo e o ego tiver sido realmente descartado – e existe algo muito valioso que você só pode conquistar se descartar o ego, e esse preço tem que ser pago –, quando você tiver realmente amado profundamente, então um novo tipo de integração despertará em você.

O amor faz duas coisas: primeiro ele manda o ego embora e depois dá a você um centro. O amor é uma grande alquimia.

Existem três tipos de amor. Eu os chamo de amor número um, amor número dois e amor número três. O primeiro amor é orientado para o objeto; existe um objeto de amor. Você vê uma bela mulher, realmente graciosa, com um corpo proporcional. Fica eletrizado. Acha que se apaixonou. O amor desperta em você porque a mulher é bonita, porque ela é simpática, porque é bondosa. Algo no objeto despertou o amor em você. Você não é o mestre desse amor; o amor está vindo de fora. Você pode ser uma pessoa muito pouco amorosa, pode não ter essa qualidade, pode não ter essa bênção, mas como a mulher é bonita você acha que o amor está nascendo em você. Trata-se de um amor orientado para o objeto.

Esse é um amor comum, é o que chamamos de eros. Trata-se de luxúria. Como possuir o belo objeto? Como explorar o belo objeto? Como torná-lo seu? Mas, lembre-se, se a mulher é bonita, ela não é bonita só para você, ela é bonita para muitos. Por isso, haverá muitas pessoas se apaixonando por ela. E haverá muito ciúme, competição, e todo tipo de fealdades que interferirão no seu amor, no seu chamado amor.

A história é que Mulá Nasruddin se casou com uma mulher muito feia, a mais feia possível. Naturalmente, os amigos ficaram intrigados e perguntaram ao Mulá: "Você tem dinheiro, tem prestígio, poderia ter se casado com qualquer mulher bonita que quisesse, então por que escolheu essa mulher tão feia?"

Ele disse, "Por uma razão. Eu nunca sofrerei com o ciúme. Essa mulher sempre será fiel a mim. Não acredito que alguém se apaixone por ela. Na verdade, nem eu me apaixonei por ela. É impossível. Portanto, ninguém pode amá-la".

No islamismo ortodoxo é uma tradição que a mulher precisa ocultar o rosto atrás de um véu, ela não pode mostrar o rosto para ninguém. E a jovem esposa precisa perguntar ao marido, "Para quem eu posso mostrar o meu rosto e para quem não posso?"

Então, quando essa mulher perguntou a Nasruddin para quem ela podia mostrar o rosto e para quem não podia, ele respondeu, "Você pode mostrar para todo mundo, exceto para mim!"

Se você se apaixonar por uma mulher bonita ou por um homem bonito, estará em maus lençóis. Haverá ciúme, haverá assassinato, haverá alguma coisa. Você está encrencado. E, desde o início, você tentará possuir a pessoa para que não haja possibilidade de alguma coisa dar errado ou sair do seu controle. Você começará a destruir a mulher ou o homem. Tirará a liberdade dela ou dele. Desrespeitará a pessoa de todas as maneiras e tentará fechar-lhe todas as portas.

Ora, a mulher era bonita porque era livre. A liberdade é um componente tão importante da beleza que, quando você vê um pássaro no céu, ele é um tipo de pássaro, mas se você vê o mesmo pássaro numa gaiola, ele não parece mais o mesmo. O pássaro voando no céu tem uma beleza toda própria. Ele está vivo. Ele é livre. Todo o céu é para ele. O mesmo pássaro numa gaiola é feio. A liberdade se foi, o céu se foi. Essas asas não têm mais sentido agora, são como um fardo. Elas pertencem ao passado e só causam sofrimento. Agora ele não é mais o mesmo pássaro.

Quando você se apaixonou pela mulher, ela era livre; você se apaixonou pela liberdade. Quando a levou para a sua casa, você destruiu todas as possibilidades de liberdade, e nessa própria destruição você está destruindo a beleza. Então, um dia, você de repente descobre que você não ama mais a mulher, porque ela não é mais bonita. Isso acontece o tempo todo. Então você começa a procurar outra mulher, sem reparar no que aconteceu; você não vê o mecanismo, como destruiu a beleza da mulher.

Esse é o primeiro tipo de amor, o amor número um. Cuidado com ele. Não tem muito valor, nem muito sentido. E, se você não está consciente, pode ficar preso a esse tipo de amor.

O amor número dois: o objeto não é importante, mas a sua subjetividade. Você está amando, então entrega esse amor a alguém. Mas o amor é uma qualidade sua, não é orientado para o objeto. O sujeito está transbordante dessa qualidade, o próprio ser está amando. Mesmo sozinho, você estaria amando. O amor é um tipo de aroma do seu ser.

Quando se apaixona, no caso do segundo tipo de amor, a alegria é muito maior do que no amor número um. Você saberá – porque esse amor sabe – como deixar o outro livre. Amar significa dar tudo o que é belo para o ser amado. A liberdade é o que há de mais belo, é o objetivo mais acalentado da consciência humana; como você pode tirá-la de alguém? Se você ama uma mulher de verdade, ou um homem, o primeiro presente, a primeira dádiva, será a dádiva da liberdade. Como você pode tirá-la? Você não é seu inimigo, é seu amigo.

Esse segundo tipo de amor não será contra a liberdade, não será possessivo. E você não ficará tão preocupado com a possibilidade de que outra pessoa aprecie a sua mulher ou o seu homem. Na verdade, você ficará feliz de ter uma mulher que os outros também apreciem, de ter escolhido uma mulher que outros também desejem. Esse desejo simplesmente prova que você escolheu um diamante, um ser valioso, que tem valor intrínseco. Você não terá ciúme. Toda vez que você vir alguém olhando para a sua mulher com um olhar de admiração, você também ficará emocionado. Você se apaixonará por ela de novo por meio desses olhos que a admiram.

Esse segundo tipo de amor será mais amizade do que luxúria, e será mais enriquecedor para a sua alma.

E esse segundo tipo de amor terá outra diferença. No primeiro tipo de amor, orientado para o objeto, haverá muitos amantes circundando o objeto, e haverá medo. No segundo tipo de amor, não haverá medo e você será livre para oferecer o seu amor não só ao ser amado, mas será livre para oferecê-lo aos outros também.

No primeiro tipo, o objeto será um só e muitos serão os enamorados. No segundo, o sujeito será um, ele fluirá em muitas direções, oferecendo o seu amor de muitas maneiras para muitas pessoas, pois quanto mais você ama, mais o amor aumenta. Se você ama uma pessoa, então naturalmente o seu amor não é muito rico; se você ama duas, ele é duplamente rico. Se você ama muitas, ou se pode amar toda a humanidade, ou consegue amar até o reino animal, ou até as árvores e os vegetais – então o seu amor continua crescendo. E à medida que ele cresce, você cresce, se expande. Essa é uma expansão real da consciência. As drogas só dão a você uma ideia falsa de expansão; o amor é a droga suprema básica que lhe dá a real ideia de expansão.

E existe uma possibilidade: Albert Schweitzer falava sobre "reverência à vida", tudo o que vive é para ser amado. Mahavira, na Índia, disse a mesma coisa. A sua filosofia de *ahimsa*, não violência, diz para amarmos tudo o que vive. E existe a possibilidade de darmos até um passo a mais do que Mahavira e Schweitzer. A pessoa pode ter reverência pelas coisas, também.

Esse é o apogeu do amor. Você não ama apenas aquilo que tem vida, mas ama até aquilo que simplesmente existe. Você ama a cadeira, os sapatos, a porta pela qual você entra na sua casa, porque eles também são um tipo de ser. Quando a pessoa chega a esse ponto, em que ama toda a existência independentemente do que seja –, esse amor se torna incondicional. Ele se torna uma devoção, torna-se uma meditação.

O primeiro amor é bom no sentido de que, se você viveu uma vida inteira sem amar, ele é melhor do que não amar. Mas o segundo amor é muito melhor do que o primeiro e provoca menos ansiedade, menos angústia, tumulto, conflito, agressão, violência. O segundo tipo de amor será mais amor do que o primeiro, será mais puro. No primeiro, a luxúria é grande demais e ela estraga tudo, mas nem o segundo amor é o último. Existe o amor número três – quando não existe nem sujeito nem objeto.

No primeiro tipo de amor, o objeto é importante; no segundo, o sujeito é importante. No terceiro, existe a transcendência. A pessoa não é nem sujeito nem objeto, e não divide a realidade de nenhum modo: sujeito, objeto, conhecedor, conhecido, amante, amado. Toda divisão desaparece. A pessoa simplesmente ama.

Até o segundo tipo de amor, você é um amante. Quando você é amante, algo fica em torno de você como uma fronteira, como uma definição. Com o terceiro, toda definição desaparece. Só existe amor, você não existe mais. Existe o que Jesus queria dizer quando falava, "Deus é amor" – ame-o. Se você não entendeu o primeiro, nunca interpretará da maneira certa o significado de Jesus. Ele não é o segundo. Ele é o terceiro. Deus é amor. A pessoa é simplesmente amor. Não que ela ame, o amor não é um ato, é a própria qualidade.

Não é que, de manhã, você seja amoroso e, à tarde, não é mais – você *é* amor, esse é o seu estado. Você chegou em casa, tornou-se amor. Agora não existe mais divisão. Toda dualidade desapareceu.

O primeiro tipo de amor é "Eu-isso". O outro é considerado um objeto. Isso é o que Martin Buber chama de "Eu-isso". O outro é como um objeto que você possui. A "minha" mulher, o "meu" marido, o "meu" filho, e nessa própria possessão você mata o espírito do outro.

O segundo tipo de amor Martin Buber chama de "Eu-tu". O outro é uma pessoa. Você tem respeito por ele. Como você pode possuir alguém que você respeita? Mas Martin Buber para no segundo; ele não entende nada sobre o terceiro. Ele vai até o "Eu-tu", e é um grande passo do "Eu-isso" para o "Eu-tu". Mas ele não se compara ao passo do "Eu-tu" para o não dualismo, a unidade, onde apenas o amor continua a existir.

Até o "Eu-tu" é um fenômeno que cria um pouco de tensão. Você e a pessoa amada estão separados, e toda separação traz infelicidade. A menos que você e a pessoa amada se tornem um único ser, é fatal que algum tipo de infelicidade fique na espreita. No primeiro tipo de amor a infelicidade é muito clara, no segundo tipo de amor a infelicidade não é tão clara; no primeiro tipo ela é muito próxima, no segundo ela não é tão próxima; ela é mais distante, mas existe. No terceiro tipo ela não existe mais.

Portanto, eu gostaria que você aprendesse mais sobre o amor. Passe do primeiro para o segundo e tenha consciência de que o terceiro é o objetivo. Com o segundo tipo de amor, trata-se de uma questão de ser. Você ama. Você ama tantas pessoas quanto puder. E ama de maneiras diferentes: uma você ama como esposa, outra você ama como amiga, outra você ama como filha, outra ama como irmã, outra como mãe. E é possível também que compartilhe o mesmo tipo de amor com várias pessoas. Por isso, primeiro atinja o segundo tipo de amor.

E, com o terceiro tipo, você simplesmente ama. Depois você pode continuar amando, esse amor nunca tem fim.

SOBRE O AUTOR

Osho desafia categorizações. Suas milhares de palestras abrangem desde a busca individual por significado até os problemas sociais e políticos mais urgentes que a sociedade enfrenta hoje. Seus livros não são escritos, mas transcrições de gravações em áudio e vídeo de palestras proferidas de improviso a plateias de várias partes do mundo. Em suas próprias palavras, "Lembrem-se: nada do que eu digo é só para você... Falo também para as gerações futuras".

Osho foi descrito pelo *Sunday Times*, de Londres, como um dos "mil criadores do século XX", e pelo autor americano Tom Robbins como "o homem mais perigoso desde Jesus Cristo". O jornal *Sunday Mid-Day*, da Índia, elegeu Osho – ao lado de Buda, Gandhi e o primeiro-ministro Nehru – como uma das dez pessoas que mudaram o destino da Índia.

Sobre sua própria obra, Osho afirmou que está ajudando a criar as condições para o nascimento de um novo tipo de ser humano. Muitas vezes, ele caracterizou esse novo ser humano como "Zorba, o Buda" – capaz tanto de desfrutar os prazeres da terra, como Zorba, o Grego, como de desfrutar a silenciosa serenidade, como Gautama, o Buda.

Como um fio de ligação percorrendo todos os aspectos das palestras e meditações de Osho, há uma visão que engloba tanto a sabedoria perene de todas as eras passadas quanto o enorme potencial da ciência e da tecnologia de hoje (e de amanhã).

Osho é conhecido pela sua revolucionária contribuição à ciência da transformação interior, com uma abordagem de meditação que leva em conta o ritmo acelerado da vida contemporânea. Suas singulares meditações ativas **OSHO** têm por objetivo, antes de tudo, aliviar as tensões acumuladas no corpo e na mente, o que facilita a experiência da serenidade e do relaxamento, livre de pensamentos, na vida diária.

Dois trabalhos autobiográficos do autor estão disponíveis:
Autobiografia de um Místico Espiritualmente Incorreto, publicado por esta mesma Editora.
Glimpses of a Golden Childhood (Vislumbres de uma Infância Dourada).

OSHO INTERNATIONAL MEDITATION RESORT

Localização

Localizado a cerca de 160 quilômetros a sudeste de Mumbai, na florescente e moderna cidade de Puna, Índia, o **OSHO** International Meditation Resort é um destino de férias diferente. Estende-se por 28 acres de jardins espetaculares numa bela área residencial cercada de árvores.

OSHO Meditações

Uma agenda completa de meditações diárias para todo tipo de pessoa, segundo métodos tanto tradicionais quanto revolucionários, particularmente as Meditações Ativas **OSHO**®. As meditações acontecem no Auditório **OSHO**, sem dúvida o maior espaço de meditação do mundo.

OSHO Multiversity

Sessões individuais, cursos e *workshops* que abrangem desde artes criativas até tratamentos holísticos de saúde, transformação pessoal, relacionamentos e mudança de vida, meditação transformadora do cotidiano e do trabalho, ciências esotéricas e abordagem "Zen" aos esportes e à recreação. O segredo do sucesso da **OSHO** Multiversity reside no fato de que todos os seus programas se combinam com a meditação, amparando o conceito de que nós, como seres humanos, somos muito mais que a soma de nossas partes.

OSHO Basho Spa

O luxuoso Basho Spa oferece, para o lazer, piscina ao ar livre rodeada de árvores e plantas tropicais. Jacuzzi elegante e espaçosa, saunas, academia, quadras de tênis... tudo isso enriquecido por uma paisagem maravilhosa.

Cozinha

Vários restaurantes com deliciosos pratos ocidentais, asiáticos e indianos (vegetarianos) – a maioria com itens orgânicos produzidos especialmente para o Resort **OSHO** de Meditação. Pães e bolos são assados na própria padaria do centro.

Vida noturna

Há inúmeros eventos à escolha – com a dança no topo da lista! Outras atividades: meditação ao luar, sob as estrelas, shows variados, música ao vivo e meditações para a vida diária. Você pode também frequentar o Plaza Café ou gozar a tranquilidade da noite passeando pelos jardins desse ambiente de contos de fadas.

Lojas

Você pode adquirir seus produtos de primeira necessidade e toalete na Galeria. A **OSHO** Multimedia Gallery vende uma ampla variedade de produtos de mídia **OSHO**. Há também um banco, uma agência de viagens e um Cyber Café no *campus*. Para quem gosta de compras, Puna atende a todos os gostos, desde produtos tradicionais e étnicos da Índia até redes de lojas internacionais.

Acomodações

Você pode se hospedar nos quartos elegantes da **OSHO** Guesthouse ou, para estadias mais longas, no próprio *campus*, escolhendo um dos pacotes do programa **OSHO** Living-in. Há além disso, nas imediações, inúmeros hotéis e *flats*.

http://www.osho.com/meditationresort
http://www.osho.com/guesthouse
http://www.osho.com/livingin
Para maiores informações: http://www.OSHO.com

Um *site* abrangente, disponível em vários idiomas, que disponibiliza uma revista, os livros de Osho, palestras em áudio e vídeo, **OSHO** biblioteca *on-line* e informações extensivas sobre o **OSHO** Meditação. Você também encontrará o calendário de programas da **OSHO** Multiversity e informações sobre o **OSHO** International Meditation Resort.

Websites:
http://OSHO.com/AllAboutOSHO
http://OSHO.com/Resort
http://OSHO.com/Shop
http://www.youtube.com/OSHOinternational
http://www.Twitter.com/OSHO
http://www.facebook.com/pages/OSHO.International

Para entrar em contato com a OSHO International Foundation:
http://www.osho.com/oshointernational
E-mail: oshointernational@oshointernational.com